JN298557

How to say it!
Business mail

「きちんとした敬語と表現」
がすぐに見つかる

# ビジネスメール
# 言い換え辞典

村上英記
Hideki Murakami

日本実業出版社

はじめに

# 失礼なビジネスメールで、損しないために

仕事でメールを作成するとき、時間がかかりすぎることはありませんか？

それは「正しい敬語が使えているか」「場にふさわしい表現ができているか」「言いたいことが伝わっているか」……などの不安を感じて考え込んでしまうためではないでしょうか。

本書はそんなあなたのために、「ふだんの言葉」から、「ビジネスシーンにふさわしい表現」が手軽に見つけられる一冊です。

ビジネスメールを作成するさいの基本ルールはもちろん、定型文・言い回しなどのフレーズ450以上を解説や例文とともに紹介します。ビジネスメールを作成するうえでは、こうしたフレーズをどれだけ数多く知っていて、場面に応じてどのように使い分けるかが重要なのです。

たとえば、あなたが後輩にごちそうした翌日、次のようなメールが会社のパソコンに届いたら、どのように感じるでしょうか。

村上先輩
昨日はおいしいお店に連れて行ってくださり、ありがとうございました。それと、楽しいお話もありがとうございました。
とても参考になりました。また行きましょう。
本当にありがとうございました。　　矢木より

このメールを読んで、「またごちそうしてあげよう」と思えるでしょうか。私だったら、ちょっと思えないかもしれません。

このメールの問題点を考えてみましょう。

①短いメール内で「ありがとうございました」が３回も続き、気持ちがこもっていないように感じる。
②「とても参考になりました」「また行きましょう」など、同僚や目下の人に使うフレーズが含まれ、上から目線を感じてしまう。
③「○○先輩へ」「○○より」という宛名や署名はビジネスメールにはふさわしくなく、社会人経験を積んだ人は違和感を覚える。

①はビジネスメールに使える言い回しのストックが少ないために起こります。
「ありがとうございます」は、「お礼申し上げます」「お心遣いありがとうございます」「うれしく存じます」などのフレーズに言い換えることが可能です。

また、このような場面でしたら、「ごちそうさまでした」「あんなに美味しい○○を食べたのははじめてです」などのフレーズを使うのもよいでしょう。

こうしたビジネスシーンでのメール作成に役立つように、本書では、「お礼」や「お詫び」などのカテゴリー別に言い換えフレーズをたくさん集め、意味や使い方を解説していきます。

②は敬語表現を使いこなせていないことに問題があります。

「参考になりました」は「自分の考えの足しにします」という意味なので、目上の人に失礼なのは言うまでもありませんね。ここは「勉強になりました」「ご指導ありがとうございました」などのフレーズを使いたいところです。

「また行きましょう」は同等、あるいは上から目線の表現なので、「また連れて行ってください」などとする必要があります。

このように敬語の使い方をまちがえると、目上の人に気に入られないばかりか、人間関係のトラブルにも発展しかねません。

本書では、フレーズを**1ビジネスメールで使ってもおかしくない表現**（親しい人宛て）、**2丁寧な表現**（社内の先輩・上司宛て）、**3よりかしこまった表現**（社外の人宛て）、という３段階に分けて紹介します。場面や相手を見極めて使い分けるコツを身につけましょう。

③はビジネスメールの基本ルールを知らないために起こるミスです。

社内の人であっても宛名は、「○○様」「○○部長」、署名には「より」をつけず名前のみにするのが基本です。

社外の人に送信するビジネスメールの宛名や署名は、よりきちんと書く必要があります。さらに、件名の書き方や、CC・BCCの使い方にもルールがあります。

ビジネスメールを作成するさいには、このようにさまざまなルールに則る必要があります。そこで本書では19ページから40ページまでを「ビジネスメール上達のためのルール」として、“誰も教えてくれないけれど知っておきたい”ビジネスメールの基本を紹介します。

ここまでを読んで、「ビジネスメールってなんだか面倒そう」と思われたかもしれません。

しかし、メールにちりばめられたさりげない気遣いや、社交辞令ではない心のこもったフレーズは、相手の気持ちを和ませることができます。電話や会話ではあわててしまってきちんと伝えられない用件や本当の気持ちを、短いメールで的確に伝えることも可能なのです。

そのような効果的なメールを作成するためには、相手の身になり、どんなフレーズを使えばきちんと伝わるか、どんなフレーズなら相手に動いてもらえるか、よく考えることが大切だと言えるでしょう。

「こんなときどうすればいいかな」「もっと別の表現はないかな」など、ビジネスメールを作成するときに迷ったら、本書を参考にしていただければ幸いです。

2012年6月　　　　　　　　　　　　　　　　　　筆者

# 本書の使い方

本書では、ふだん使っている言葉から、ビジネスシーンにふさわしいフレーズと解説、文例がすぐに見つかるように紹介しています。さらに、①ビジネスで使える表現、②丁寧な表現、③よりかしこまった表現など、使う相手に合わせた3レベルの言い回しも解説します。

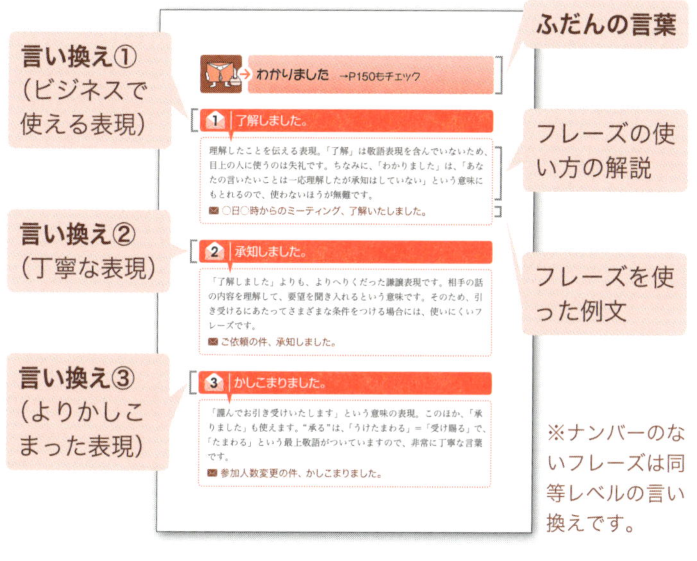


わかりました →P150もチェック

① 了解しました。

理解したことを伝える表現。「了解」は敬語表現を含んでいないため、目上の人に使うのは失礼です。ちなみに、「わかりました」は、「あなたの言いたいことは一応理解したが承知はしていない」という意味にもとれるので、使わないほうが無難です。

✉ ○日○時からのミーティング、了解いたしました。

② 承知しました。

「了解しました」よりも、よりへりくだった謙譲表現です。相手の話の内容を理解して、要望を聞き入れるという意味です。そのため、引き受けるにあたってさまざまな条件をつける場合には、使いにくいフレーズです。

✉ ご依頼の件、承知しました。

③ かしこまりました。

「謹んでお引き受けいたします」という意味の表現。このほか、「承りました」も使えます。“承る”は、「うけたまわる」＝「受け賜る」で、「たまわる」という最上敬語がついていますので、非常に丁寧な言葉です。

✉ 参加人数変更の件、かしこまりました。

※ナンバーのないフレーズは同等レベルの言い換えです。

①〜③レベルのフレーズ以外にも、知っておくと便利な例文を紹介します。受けとった相手に、「気がきくな」と思われるメールを作成したいときに活用してください。

フレーズを使うさいに陥りがちな落とし穴や、メールにまつわるビジネスマナーなどを紹介します。さらに、「ご指導、ご鞭撻の“ほど”って何？」「“取り急ぎ”は失礼？」などの素朴な疑問にも答えます。

添付ファイルを送るときのルールや引用の効果的な使い方、また、いまさら誰にも聞けない“敬語の基本”などをわかりやすく紹介します。

# Contents

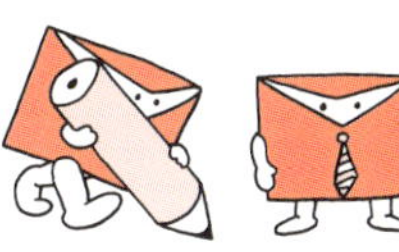

Contents

Contents

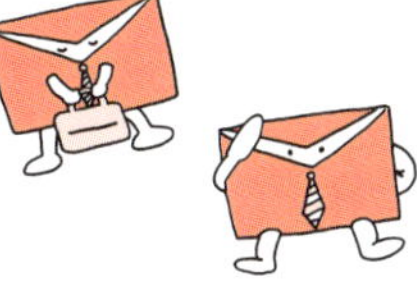

Contents

Contents

Contents



## Column




カバーデザイン●井上新八
本文デザイン●関根康弘(T-Borne)
イラスト●加納徳博

# 1

# ビジネスメール 上達のためのルール

いつも何気なく送っているビジネスメール。
実は相手に不快な思いをさせていた、
ということはあるものです。
ビジネスメールの正しいルールを知ることは、
無駄なトラブルをなくし、
相手とよりよい関係を築くことに役立ちます。

# メールのデメリットと、使ってはいけない場面

ビジネスメールのメリットは、「手軽に作成できる」、「好きな時間に送信できる」、「口頭では言いにくいことを伝えられる」などたくさんあります。

しかし、デメリットや使ってはいけない場面もあります。

## メールのデメリット

### 1 相手が読んだのかわからない

サーバーの具合によっては、相手が受信するまでにタイムラグが発生することもあります。また無事に到着しても、すぐに読んでもらえるとはかぎりません。

**対応策** メール本文に「メールをご覧になったら、恐れ入りますが、ご覧になったという簡単なお返事だけでもいただけないでしょうか」などと一言添えるか、大事な用件の場合は電話をかけて確認するとよいでしょう。

### 2 相手の反応がわからない

電話では相手の反応が伝わってきますが、メールを読んでどう思ったのかなどはわかりません。

**対応策** 「ご不明な点がありましたら、お手数ではございますがご連絡いただけますでしょうか」などのフレーズを添えると、相手が了解したかどうかを知る助けになります。

### 3 ケアレスミスが起こりがち

ビジネスメールは手紙やFAXより気軽に出せるぶん、ちがう人に宛てたメールや、まだ作成途中のメールを送信してしまうといったミスも起こりやすくなります。

**対応策**

送信ボタンを押す前に、最低限、以下のポイントを見直しましょう。

- 送り先アドレスは合っているか
- 宛名（相手の名前）は合っているか
- 署名は入っているか
- 添付ファイルがある場合、添付を忘れていないか
  →添付ファイルのルールについては40ページを参照

**覚えておきたい!**

#### ●メールが使えない場面

**1 大きなミスをしたとき**

まずはメールで謝罪し、ワンクッションおいてから電話をする、直接謝罪に訪れるなどという使い方ならよいでしょう。メールだけですませてはいけません。

**2 遅刻・欠勤するとき**

遅刻・欠勤するときは、基本的には電話で伝えましょう。電話ができない、通じない状況であれば、その旨書き添えてメールしましょう。

**3 急ぎのとき**

すぐにお願いしなければならないことや直前の変更などは、必ず電話しましょう。打ち合わせ日時の変更なども、1週間前ならともかく、明日・明後日の急な場合は電話で連絡しましょう。

# メールの型をマスターする

まずはビジネスメールの型を頭に入れましょう。型を理解したうえで、さまざまなバリエーションを学んでいくことが、きちんとしたビジネスメールをマスターする近道です。

## 1 件名（タイトル） →28ページ参照

ビジネスメールの件名は内容と一致していることが基本です。

## 2 宛名 →32ページ参照

相手の名前だけではなく、社名、部署名、役職名まで書きます。

## 3 書き出し

文書や手紙のような時候のあいさつは最低限にします。書き出しで使えるフレーズは、57ページ以降で紹介します。

## 4 本文

ワンスクロールで読める程度の長さが理想です。本文で使えるフレーズは、それぞれのシーンに分けて73ページから紹介。

## 5 結び

結びのないメールは、どこか不自然に感じます。結びで使えるフレーズは、185ページ以降で紹介します。

（3〜5：他の章で解説します）

## 6 署名 →34ページ参照

あまり凝ったものはビジネスシーンではふさわしくないので、気をつけましょう。

## ●ビジネスメールの基本型

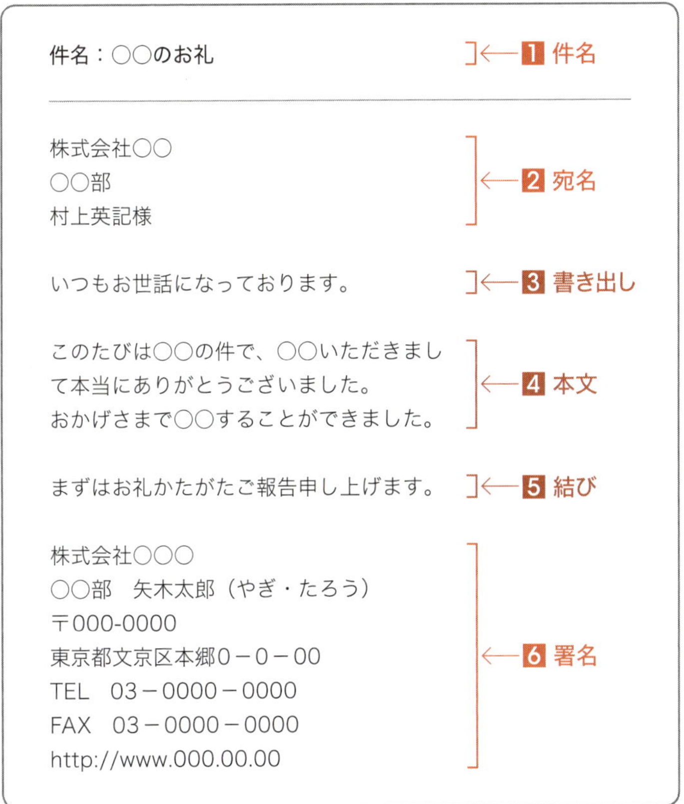

件名：○○のお礼 ]←1 件名

株式会社○○
○○部
村上英記様
]←2 宛名

いつもお世話になっております。 ]←3 書き出し

このたびは○○の件で、○○いただきまして本当にありがとうございました。
おかげさまで○○することができました。
]←4 本文

まずはお礼かたがたご報告申し上げます。 ]←5 結び

株式会社○○○
○○部　矢木太郎（やぎ・たろう）
〒000-0000
東京都文京区本郷0－0－00
TEL　03－0000－0000
FAX　03－0000－0000
http://www.000.00.00
]←6 署名

# CC、BCCの使い方

複数の人に同時に送信できるCCは便利な機能です。しかし使い方によっては、相手のアドレスを許可なく第三者に教えてしまうことにもなります。その場合はBCCを使うなど、CCとBCCを使い分ける必要があります。

CCはカーボンコピー（carbon copy）の略です。むかし、同じ書類を作成するときに、カーボン紙を使って複写していたことから、メールでも使われるようになりました。

CCメールは同じ内容を複数の人に送信するときに使います。

同じ話題に関係のある人や、会議を休んだ人などにCCで送れば、情報が共有できるので便利です。CC内で送られた人は基本的に返信する必要はありません。

もし、返信する場合は、「全員に返信」を選びます。CCで送信されたほかの人とも情報共有するためです。

## CCに返信する場合

CCメールの件名➡新商品研究会　日時候補のご連絡
CCメールに返信➡Re：新商品研究会　日時候補のご連絡（矢木）

最近では、CC で送信する人の名前を宛名に併記しているメールが増えました。「○○様　(CC○○様)」のように書かれますが、これは「この人にもこのメールを送っています」と報告する意味も含んでいます。

CCで複数宛てに送る場合、宛先に入れるアドレスの順番は役職順、あるいは年齢順にしましょう。

ただ、CC で送信するときは、受けとる相手全員が顔見知りであることが必要です（会社の規定などで共有が決められているのであれば、しかたありませんが)。

CC 欄内に入力されたメールアドレスは、そのメールを受信した全員が見ることができます。他人のアドレスを第三者に勝手に公開してしまうのはよくありません。

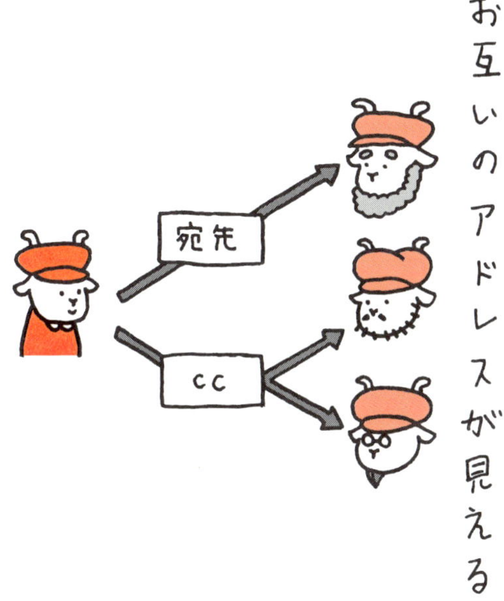

BCCはブラインド・カーボン・コピー（blind carbon copy）の略です。

CCと大きくちがうのは、BCC欄に入力したメールアドレスは受信者間では確認できない点です。BCCで複数の人に送信しても、受けとった相手は送信者と宛先のアドレスしか見えません。そこでBCCの場合、宛先には自分のアドレスを入れるようにします。

BCCは、住所変更など一斉に多くの人に送信するときに使います。宛名は「皆様」「各位」などとし、冒頭に「このメールはBCCで一斉にお送りしています」と一言書き添えると親切です。

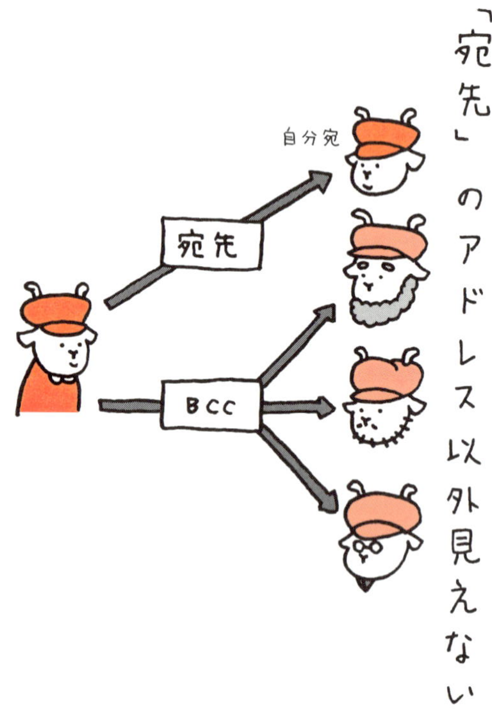

## 「Re:」はどういう意味？

返信メールの件名につく「Re:」は、返答するという意味の英語の「reply」や「response」の省略だと思われがちです。

この「Re:」の由来についてはさまざまな説がありますが、「～に関して」「～について」という意味のラテン語「res」から派生したものだという説が有力です。

そもそも「Re:」は、電子メールが誕生するさらに前から、英文の手紙では本文の前に置く前置詞として使われてきました。

現在は「Re:」とつけば返信を表すと考えて問題ないでしょう。メールソフトによって、返信するたびに「Re:」が増えていくもの、「Re5:」のようにやりとりの回数を数字で表すものなどがあります。

ちなみに、メールを転送するさいに件名につく「Fw:」は「forward（転送する・回送するという意味）」の略です。

ビジネスメールの件名のつけ方や「Re:」の使い方については、次ページから紹介します。

# 一目で内容がわかる件名をつけよう

実はビジネスメールでは、「件名」がとても大切です。

なぜなら、相手はそのメールを開くかどうかを件名で判断することが多く、あとで検索するときに件名をキーワードとして使用することもあるからです。

ビジネスメールの件名で避けたいのは、「お問い合わせ」「お願い」「お知らせ」などのように、いちいち中身を見なければわからないフレーズです。そのほか、文章にしたものや、目上の人に送信する場合は「要返事」など自分の都合を押しつけるような件名もNGです。

また、用件を一言でまとめにくいと、つい「○○会社の矢木です」などの件名をつけてしまいがちです。

1通のメールにはひとつの用件しか書かないことを心がけ（36ペ

## 件名のNGフレーズ

- ✉ お問い合わせ
- ✉ お願い
- ✉ お知らせ
- ✉ 打ち合わせの件
- ✉ 先日お問い合わせいただいた○○商品について、納品日をご連絡いたします。
- ✉ 要返事／24年度忘年会について
- ✉ ○○会社の矢木です。

ージ参照)、なるべく中身がわかるような件名をつけましょう。

忙しいときに左記のような件名のメールが届くと、いちいち開いてみなければ内容がわからないため、手間に感じることがあります。件名だけを見て、「いますぐ読もう」、「あとで読もう」などの判断がしにくいのです。

ビジネスメールの件名は、開けなくてもどのような内容なのか見当がつくようにするのが、相手への心遣いです。

### 件名のOKフレーズ

- ○○商品の御見積りに関してのお問い合わせ
- 幹部会資料、再送付のお願い
- 【お知らせ】7月7日開催　若手勉強会のスタート時間
- 9月30日の打ち合わせの件
- ○○商品の納品日のご連絡
- ○○会議資料の訂正

件名が重要であるもうひとつの理由は、あとで検索するときにキーワードとして使われるケースが多いことです。たとえば、9月30日に行った打ち合わせの詳細メールを検索したいとき、件名が「打ち合わせ」だけだったら、膨大な量のメールが検索に引っかかってしまいますね。

「9月30日の打ち合わせの件」のように、中身を的確に表した件名であれば検索もしやすくなります。

# 件名「Re:」の使い方

返信すると、件名の頭に自動的に「Re:」がつきます。

基本的には、内容が変わらないかぎり件名には「Re:」をつけておきます。

「Re:」をつけておくと、相手には自分が出したメールに返事が来たのが一目瞭然なので便利です。

**返信にはRe:をつける**

Aさん→新企画のミーティング日時のご連絡
Bさん→Re:新企画のミーティング日時のご連絡

しかし、たくさんやりとりをすると、どこでどのような返事をしたのか、どのような内容を書いたのかがわからなくなります。

件名は内容と一致していることがビジネスメールの基本です。メール本文の内容が大きく変わったさいは、同時に件名も変更するか、もしくは返信するのではなく新たにメールをつくったほうが親切でしょう。

**内容が追加されるなら件名も追加**

Aさん→新企画ミーティング資料
Bさん→Re:新企画ミーティング資料
Aさん→Re: Re:新企画ミーティング資料（改良版）

Aさん→30日ミーティングの議題募集
矢木さん→Re:30日ミーティングの議題募集（議題提出・矢木）

**内容が変わるなら件名も変更**

Aさん→新企画のミーティング日時のご連絡
Bさん→Re:新企画のミーティング日時のご連絡
Aさん→【至急ご確認】新企画ミーティング日時変更

**覚えておきたい!**

### ●「重要」「至急」をつけるときのルール

件名に「重要」「至急」などとつける人がいます。これらの言葉は、相手に「早く読んでください」とプレッシャーをかける表現なので、あまり頻繁に使うのはオススメできません。

もちろん、急ぎの用件なのに電話がつながらない場合や、上記の「内容が変わるなら件名も変更」の例のように必ず確認してほしい重要なメールの件名には、入れてもよいでしょう。

## 誰も指摘してくれない、失礼な宛名

ビジネスメールでは、１行目に必ず宛名を書きます。ここで誰宛てのメールかを確認するためです。

基本的に、会社名、部署名、名前（フルネーム）＋「様」を書きます。

下の図は、上から順に、丁寧→くだけた宛名表記です。相手との関係やメールをやりとりする回数によって使い分けましょう。

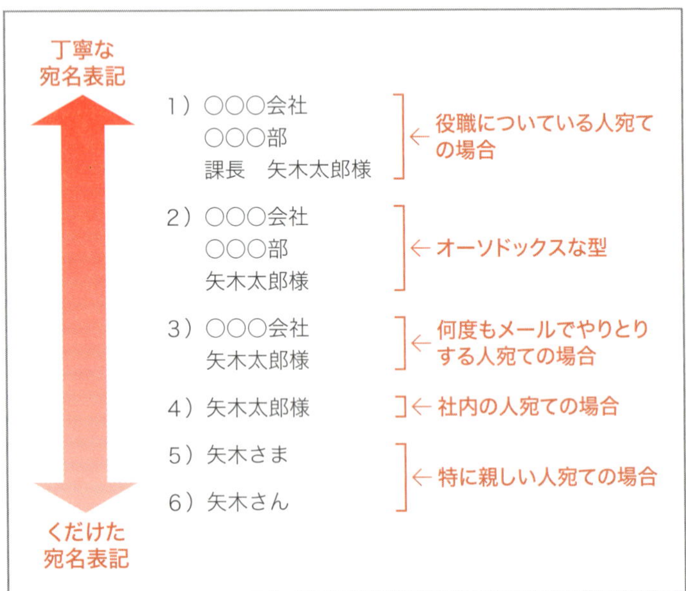

丁寧な
宛名表記
1）〇〇〇会社
〇〇〇部
課長　矢木太郎様
←役職についている人宛ての場合
2）〇〇〇会社
〇〇〇部
矢木太郎様
←オーソドックスな型
3）〇〇〇会社
矢木太郎様
←何度もメールでやりとりする人宛ての場合
4）矢木太郎様
←社内の人宛ての場合
5）矢木さま
6）矢木さん
←特に親しい人宛ての場合
くだけた
宛名表記

会社名は、(株)(有)などと省略せず、「○○株式会社」ときちんと書きましょう。

役職名をつける場合、「矢木部長」「矢木部長様」はまちがいです。「部長　矢木太郎様」が正しい表記です。

社外の人に送る場合、宛名が名前だけでは省略しすぎです。なるべく会社名も入れたほうがよいでしょう。

また社内であっても、相手の名前はフルネームで書き、「様」をつけるのが基本です。

平仮名の「さま」はとても親しい関係であれば、使ってもよいでしょう。ただし、くだけた表現なので、相手に「なれなれしい」と思われてしまう可能性もあります。

覚えておきたい!

**●宛名のルール**

・宛名は「様」に統一
➡最近は「殿」はあまり使われず、「様」に統一される傾向にあります。

・担当者名がわからないとき
➡「○○株式会社　総務部御中」「○○株式会社　広報ご担当者様」など、どの部署や担当者宛てなのかわかるようにします。

・宛名に「先生」を入れるとき
➡「先生」は役職名扱いにしないので、「様」の代わりに「矢木太郎先生」と使うことができます。

・複数の関係者に送信するとき
➡「皆様」「各位」などを使います。「各位様」はまちがいです。

## 署名は凝りすぎず、明確に

メールの最後には、必ず署名をつけるのがルールです。署名には、会社名、部署名、自分の名前、住所、電話・FAX番号、メールアドレス、ホームページアドレスなどを書きます。

署名はメール上の名刺と同じ意味をもちますから、あまり奇をてらわないようにしましょう。顔文字や記号を使ってのデコレーションは、ビジネスシーンにふさわしくない場合もあります。

また、仕事とは関係のない自分のモットーや近況などを入れた署名は、あまりよい印象をもたれない可能性もあります。入れるときには注意しましょう。

### 注意が必要な署名

☆★☆★☆★☆★☆★☆★☆★☆★☆★☆★☆★
(株)日本実業出版社
東京都文京区本郷3-2-12
矢木太郎
最近、マラソンはじめました。
詳細はフェイスブックをチェックしてください！
☆★☆★☆★☆★☆★☆★☆★☆★☆★☆★☆★

署名は、連絡先などを過不足なく入れた一般的なものがもっとも好まれます。署名を見て連絡する人も多いからです。

たとえば、郵便番号の表記がないと、郵送するときにいちいち調べなくてはなりませんので、必ず入れておきましょう。

署名はいくつかのパターンを用意し、親しい人用、はじめて連絡をする人用……などと使い分けるとよいでしょう。

名前の読み方が難しいときは「矢木太郎（やぎ・たろう）」のように、ひらがなを添えると親切です。

**基本的な署名の書き方**

株式会社日本実業出版社
○○部　矢木太郎（やぎ・たろう）
〒113-0033
東京都文京区本郷3-2-12
TEL 03-0000-0000
FAX 03-0000-0000
http://www.njg.co.jp
Mail ×××××

さらに、住所変更があったり、社名が変わったときには、署名のなかに「引っ越しして住所が変わりました」「社名を変更しました」などのようなアピールをつけ加えておくとよいでしょう。

# 読みやすいビジネスメールを作るポイント

思いついたことをそのまま書くだけでは、受けとった相手にとって読みやすいメールにはなりません。伝わるメールにするためには、以下のポイントが重要です。

## 1 1通のメールには、ひとつの用件

1通のメールに、複数の用件を書くのは混乱のもとです。用件が複数ある場合は、メールを分けたり、用件を絞ることを考えましょう。

## 2 見た目を整理する

3～5行をひとつのまとまりとし、ちがう内容に移るときは、空白行を1行入れましょう。複雑な用件はだらだらと書かずに、箇条書きにすると読みやすくなります。なお、箇条書きに番号をふる場合などは、機種依存文字（右ページ参照）を使用しないよう注意しましょう。

## 3 長文にしない

いくら書きたいことがたくさんあっても、ワンスクロール以上の長文のメールは受けとった相手には大変負担です。ふだんから次ページ①～③のような工夫を心がけましょう。

### ①社交辞令や近況報告は短めに

用件だけにすると、冷たい印象のメールになる恐れがありますが、長すぎるあいさつは冗長な印象を与えます。相手を気遣う言葉、自分に起こった変化、今日の天気など、何気ないフレーズを１、２文はさむくらいでちょうどよいでしょう。

### ②優先順位の高いものを一番上に、低いものは削る

箇条書きにして４つ以上になったときは、「長いのでは」と考えましょう。似た内容はひとつにまとめる、優先順位が低いもの・いま伝えなくてもよいものは削るなどの工夫が必要です。

### ③結論は先に書く

ビジネスメールでは「起承転結」の文章だと、かえってわかりにくくなってしまいます。新聞のようにまず結論を述べ、あとから周辺事情を説明する書き方にすると、相手も理解しやすくなります。

覚えておきたい！

**●要注意！ 勝手に変換されてしまう文字**

機種依存文字とは、パソコンの機種によって、ちがう文字コードを使っている文字のこと。受けとった相手の環境によって、文字化けする可能性があります。ここで機種依存文字の例をあげておきます。

- ・丸つき文字：①②③④……
- ・ローマ数字：Ⅰ、Ⅱ、Ⅲ、Ⅳ……
- ・単位の文字：㎜、㎝、㎞、㎡、㌶、㍑、㌧、㌦　など
- ・記号　　　：㈱㈲㈹℡№　など

機種依存文字を使っているかどうかを無料で確かめてくれるホームページもあるので、気になる人はチェックしてみましょう。
http://www.submit.ne.jp/tool/uniquechar/check.html

## すばやく返信するコツ

ビジネスメールを作成するのに、時間をかけすぎてはいけません。相手のメールを読んだらすぐに返信することをオススメします。遅くても24時間以内をめざしたいところです。

あなたはすぐに返信をくれる人と、2、3日経ってから連絡してくる人のどちらを信頼しますか？

自分がメールを出したときを思い出してください。

出したばかりなのに「返事が来ないかな」と思ったことはありませんか？　1日以上放っておかれたら、「おかしいなぁ、届いていないのかな」と思うのではないでしょうか。

マメに連絡する人を信頼しない人はいません。これは誰でもうなずくでしょう。それなのに返信するまでに時間がかかってしまう理由には、以下の3点があるようです。

- 面倒くさくなってしまう
- メールをうまく書こうという気持ちが強い
- 忙しくて返信する時間がなかなかない

このような人は、うまい言い回しをしようと力みすぎないこと、そして、よく使うメールの雛形を作成しておくことをオススメします。

すばやい返信は、「読んでくれた」という安心感を相手に与えるだけでなく、「この人は仕事が速い」というプラスの評価にもつながります。時間が経てば経つほど返信しづらくなりますので、「メールを受けとった」ことだけでも知らせるようにしましょう。

以下のように 「見ました」という返事だけでもしておくと、気持ちがだいぶ楽になります。

**「読みました」メールの例**

ご連絡ありがとうございます。じっくり検討いたしまして、×日までにお返事いたします。まずはお受けとりのご連絡のみにて失礼いたします。

このような「読みました」メールを送っておけば、忙しくてきちんとメールを作成する時間がない、じっくり考えてから返信したいといったときにも、相手を不安にさせずに待ってもらえます。

メールの雛形をあらかじめ作成しておくと、さらに返信作業が楽になるでしょう。すばやく返信するために、作成しておくと便利なメールの雛形としては「お礼メール」「了解メール」などがあげられます。

これらの雛形は 191 ページから文例として紹介しますので、参考にしてください。

## 添付ファイルのルール

複数枚の写真データなど、容量が大きすぎるファイルをメールに添付するのは厳禁です。相手のメールボックスを詰まらせてしまう可能性があるためです。最近ではかなり大きなファイルでも送信できるプロバイダもありますが、相手の環境がわからないときは1MB程度に収めるのがマナーです。

一方、メール本文が長文になる場合は、Word文書などにまとめて添付ファイルにしたほうが読みやすいでしょう。

✉ 社内報の原稿を修正しましたので、添付ファイル（Word文書）でお送りします。ご査収ください。

ファイルサイズの大きい画像やPDFなどを送りたいときは、圧縮ファイル（.zip）にするか、ファイル転送サービスを活用するとよいでしょう。

また添付するファイルは、相手が開けるものでなければなりません。たとえば、プログラムファイル（.com／.bat／.exeなど）やショートカット（.link）などは添付ファイルとして開けないので注意しましょう。

WordやExcelファイルも、バージョンがちがうと開けない場合があるので要注意です。

# 2

# 社内メール
# 頻出フレーズ

社内の先輩や上司へのメールには、
失礼にならない表現を選ばなければなりません。
しかしあまりにもかしこまった敬語表現では、
相手との距離がかえって縮まない可能性もあります。
本章で、社内での頻出フレーズを学び、
適切なメール表現を身につけてください。

# おつかれさま →P63もチェック

## 1 おつかれさまです。

社内メールでは、もっともオーソドックスな書き出しです。相手の労（働き）をねぎらい、感謝の気持ちを表すフレーズ。社交辞令で使うことも多いので、そう受けとられたくない人はさらに「先日の出張はおつかれさまでした」などと、内容を具体的にするとよいでしょう。

✉ 先日の会議は、おつかれさまでした。

## 2 いつもお世話になり、まことにありがとうございます。

「おつかれさま」を使うにはおこがましいような相手に対して、感謝の気持ちを表します。そのほか、相手の体調をうかがったり、最近の功績をほめるなど、相手が喜びそうな話題を加えるのもよいでしょう。

✉ 日頃はなにかとお心にかけていただき、まことにありがとうございます。

覚えておきたい!

### ●嫌われる書き出しフレーズ

「ご苦労さまです」「お世話さまです」は目下の人に対して使う表現です。ビジネスシーンでは、基本的に使わないよう心がけましょう。

また、「おつかれさまです」も、「別につかれてないのに、なんでそんなあいさつをされるのか」と感じる人もいるようです。相手やタイミングによっては、「お忙しいところ失礼いたします」「お変わりなくお過ごしですか」などのフレーズを使うとよいでしょう。

## わかりました →P150もチェック

### 1 了解しました。

理解したことを伝える表現。「了解」は敬語表現を含んでいないため、目上の人に使うのは失礼です。ちなみに、「わかりました」は、「あなたの言いたいことは一応理解したが承知はしていない」という意味にもとれるので、使わないほうが無難です。

✉ ○日○時からのミーティング、了解いたしました。

### 2 承知しました。

「了解しました」よりも、よりへりくだった謙譲表現です。相手の話の内容を理解して、要望を聞き入れるという意味です。そのため、引き受けるにあたってさまざまな条件をつける場合には、使いにくいフレーズです。

✉ ご依頼の件、承知しました。

### 3 かしこまりました。

「謹んでお引き受けいたします」という意味の表現。このほか、「承りました」も使えます。“承る”は、「うけたまわる」＝「受け賜る」で、「たまわる」という最上敬語がついていますので、非常に丁寧な言葉です。

✉ 参加人数変更の件、かしこまりました。

# おかげで助かりました →P82もチェック

## 1 本当に助かりました。

心から感謝の気持ちを表したいときは、「ありがとうございます」だけでなく、自分の気持ちを素直に伝えるフレーズを加えたほうが、相手に伝わりやすいでしょう。

✉ 本日は白木先輩にご同行いただいて、本当に助かりました。

## 2 おかげさまで～

他人から受けた助力や親切をありがたく思っていることを伝える表現。文頭に使い、最後は「ありがとうございます」のようなお礼で締めます。相手が具体的になにをしたわけでもない場合に使うと、日頃の感謝の気持ちを伝えられます。

✉ おかげさまで、仕事に慣れました。ありがとうございます。

## 3 ～のお力添えのおかげで

話し言葉やふだんのメールではなかなか使わない「お力添え」という表現によって、かしこまって感謝していることを伝えられます。「○○様のお力添え」「皆様のお力添え」など、相手は単数・複数どちらでも使えます。

✉ 黒木様のお力添えのおかげで、今回の案件は弊社で受注することができました。心よりお礼申し上げます。

## 目上の人をほめるコツ

目下の立場から目上の人をほめるのは、とても難しいものです。「ほめる」こと自体、どうしても上から目線になってしまいがちだからです。

相手を賞賛するつもりで使ったのに、失礼になるフレーズには、以下のようなものがあります。

**①部長もやりますね。**

**②部長を見直しました。**

**③感心しました。**

**④とても参考になりました。**

①・②は「思っていたよりも能力があるのですね」という意味にもとれます。

③の「感心した」も、目上の人が目下の人に対して、「よくやった」「えらいな」と感じたことを表現するフレーズです。

④の「参考にする」は「はじめに」でも少し触れた通り、「自分の考えを決める足しにする」という意味です。

目上の人を賞賛したいと思ったら、無理にほめようとはせず、「ぜひ自分もまねしたい」「自分もそうなりたい」という尊敬の気持ちを表現したほうが、本当の気持ちが伝わりやすいでしょう（次ページ参照）。

# さすがですね

## 1 恐れ入りました。

目上の人をほめようとして「先輩、さすがですね」などのように使うと、上から目線と受けとられかねません。若いうちはほめるより、尊敬の気持ちを伝えるようにしましょう。「恐れ入りました」は相手の力量や才能に太刀打ちできないと感じたことを表すフレーズです。

✉ 先ほどの込み入ったクレームへの対応、恐れ入りました。

## 2 感銘を受けました。

感銘は、忘れないほど深く感動したことを意味します。同じような意味で使えるフレーズとしては、「感動的でした」「印象的でした」「圧倒されました」「心を打たれました」などがあります。

✉ 先日の勉強会での白木さんのお話には、深く感銘を受けました。私もいつか白木さんのような存在になりたいです。

## 3 感服いたしました。

「感服」は、感心して敬うこと、従うことを意味します。服従するほど感動した気持ちを表すので、目上の人にも使いやすいでしょう。同じようなニュアンスで「敬服」も使えます。

✉ 昨日のイベントでの白木課長の迅速かつ的確なご判断に、感服いたしました。

## 教えてください →P125もチェック

### 1 教えてください。

もっとも単純なフレーズです。同僚や親しい人には、「教えていただけませんか」「ご教示いただければ幸いです」などのかしこまった表現より適切です。ただし、「〜してください」は命令表現なので（123ページ参照）、相手や状況を見極めて使いましょう。

✉ 新製品の開発状況を教えてください。

### 2 教えていただけませんか。

「〜していただけませんか（疑問文）」にすれば相手の意思をうかがうことになり、「〜いただけないでしょうか（否定疑問文）」にすれば、“提案を受け入れてもらえない”という前提に立って相手の意向をうかがうことになるので、より丁寧な表現になります。

✉ 退職金制度について、教えていただけないでしょうか。

### 3 ご教示いただければ幸いです。

「教示」は好ましいこと、よいことを教えるというニュアンスがあるので、禁止・忠告の場面では基本的には使えません。ちなみに「教授」は学術や芸事を教えることなので、「ご教授いただければ」はビジネスシーンではあまり使いません。

✉ ぜひ○○についてご教示いただければ幸いです。

# がんばります

## 1 努力いたします。

「一生懸命取り組む」という意味の「鋭意」をつけて、「鋭意努力いたします」とする場合もあります。「がんばります」は、基本的には目上の人には使えません。ただ、「ここぞ！」というときに使うと、若々しさや熱意が伝わる場合もあります。

✉ 未熟ではありますが、鋭意努力いたします。どうぞ、ビシバシ鍛えてください。

## 2 精進いたします。

「精進」とは仏道修行することをさします。「あるひとつのことに集中して取り組み、努力を続ける」という意味です。ふだんの会話ではなかなか使われない分、かしこまった印象になります。

✉ ご期待に沿えますよう、精進してまいります。

覚えておきたい!

**●信頼感のある「がんばります」**

ただただ「がんばります」「努力します」を連呼しても、信頼感は生まれにくいもの。逆に、「なにをがんばるんだ！」と叱られてしまうこともあるでしょう。具体的な一言を添えることも大切です。

✉ いっそう充実したサービスの提供にがんばってまいります。

✉ よりよいシステムの開発をめざして努力をしていく所存です。

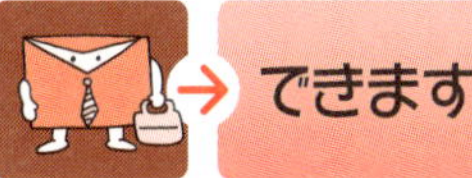

## できます

### 1 やらせてください。

上司から仕事の打診があったときなどは「できます」より、「やらせてください」を使ったほうが前向きな姿勢が伝わりやすいでしょう。ただし、「やる」という言葉はあまり上品ではないので、社外の人に使うのは控えましょう。ちなみに、「やらさせてください」はまちがいです。

✉ 先日の企画ですが、ぜひ私にやらせていただけないでしょうか。

### 2 お任せください。

「できます」「やらせてください」よりも頼もしい印象になります。しかし、このフレーズを使ったからには責任をもってやり遂げようとする姿勢が不可欠です。

✉ 私に任せてください。かならず期日までに仕上げます。

# 知りません

## 1 わかりません。

ふだんは親しい人に、「存じておりません」などのかしこまった表現を使うと、よそよそしく反抗的な態度と思われる恐れもあります。社内であれば、「わかりません」を使ったほうが無難です。

✉ 問い合わせの件ですが、私ではわかりません。大変恐縮ですが、白木さんからご回答していただけないでしょうか。

## 2 存じておりません。

「知りません」「わかりません」のへりくだった謙譲表現です。よく似た「ご存じ」は相手を敬う尊敬表現なので、主語が「私」や「身内」の場合に、「ご存じではありません」と書くのはまちがいです。

✉ 私もその件については、よく存じておりません。

## 3 存じ上げません。

「存じ上げる」は、「存じる」よりも敬意の高い表現。ただし、「存じ上げる」を使うためには、相手の功績や相手自身が尊敬に値しなくてはなりません。そのため、身内には使えない表現なので注意してください。

✉ OBの白木さんは、私は直接は存じ上げませんが、大変なご実績をおもちの方だとうかがっております。

# 覚えてません

## 1 忘れました。

同等の立場の人に対して使う表現です。「忘れた」と言って許されるような内容や状況であれば、下手に言い訳せず、正直に伝えることも大切でしょう。

✉ 先月教えていただいた登録方法ですが、忘れてしまいましたので、もう一度教えてください。

## 2 失念いたしました。

「失念」は、ついうっかり忘れてしまうこと。「うっかりしていました」と書くよりは、「失念」を使ったほうがビジネスシーンにはふさわしいでしょう。「バタバタしておりまして」「記憶違いをしておりまして」などの失念の理由と、お詫びのフレーズを添えましょう。

✉ 先日ご依頼の領収書の件、雑務に追われ、失念しておりました。まことに申し訳ございませんでした。

覚えておきたい!

**●「聞いていません」「教わっていません」はNG!**

あなたが実際に「聞いていない」「教わっていない」としても、ビジネスシーンで使うのはご法度です。相手を責める言い方になるからです。その場合は、下記のようなフレーズを使うとよいでしょう。

✉ 申し訳ありません、確認してお返事します。

✉ 私の記憶違いかもしれませんが、はじめてお聞きすると思います。

# 飲み会に行けません

## 1 行けません。

親しい先輩や同僚などからの誘いを断るときに使うフレーズです。ちなみに、「お邪魔します」というフレーズは、"相手の時間を使わせることを詫びる"意味が込められます。みんなが楽しむ席や相手に頼まれて行く席であれば、「お邪魔できません」よりも「行けません」のほうがよいでしょう。

✉ あいにく先約がありまして、どうしても行くことができません。

## 2 あいにく予定があり、うかがえません。

誘ってくれたことに感謝しつつ、行けなくて残念だということを伝えます。「また次回もぜひ誘ってください」「また機会がありましたら、ぜひ誘ってください」など、次回へつなぐ言葉を添えれば完璧です。

✉ お誘いいただいてありがたいのですが、あいにく予定が入っておりましてうかがえません。

## 3 どうしても予定を動かせません。

スケジュールを調整しようとしたものの、どうしても無理だったことをアピールします。さらに「では別の日に」と誘われたくない場合は、自分から声をかけるという形にし、相手からは誘えないようにするとよいでしょう。

✉ いろいろと調整したのですが、どうしても予定を動かせませんでした。今度は私のほうからお誘いいたします。

## お誘いを「断る」フレーズ

### ➡体調のせいにして断りたい

- 今日は体調が悪いので、当日に申し訳ありませんが失礼いたします。後日、お土産話を聞かせてください。
- 体調不良のため、本日は遠慮させていただきます。直前に申し訳ありません。

### ➡別の日に誘われないように断りたい

- せっかくのお誘いですが、只今仕事に追われておりまして、時間をとることが難しい状況です。
- 最近胃の調子が悪くてアルコールを控えているのです。

### ➡サシ飲みを断りたい

- 同期の矢木と青木も、お誘いしてよろしいでしょうか。
- 上司の白木も、黒木様とお話をしたいと申しております。

# ごちそうさまでした

## 1 ごちそうさまでした。

もっともノーマルな表現。よく、「ごちそうになってしまい、すみませんでした」などとあやまるメールを見かけますが、それよりも素直に「美味しかった」「楽しかった」と伝えて感謝したほうが、相手もごちそうのしがいがあったというものです。

✉ あんなに飲んだのは久しぶりです。ごちそうさまでした。

## 2 ごちそうになりまして、ありがとうございました。

「御馳走様」の「馳走（ちそう）」は、走り回って食材を集め、用意することを表します。そのもてなしに感謝の意味を込めるため「御」と「様」が加わりました。そのうえさらに「ありがとう」をつけるのはやや過剰かもしれませんが、感謝の気持ちは伝わります。

✉ 昨日はたくさんごちそうになりまして、ありがとうございました。

## 3 あんなに美味しい○○をいただいたのははじめてです。

以前にも食べたことがある料理や、行ったことがあるお店でも「はじめてです！」「前から食べてみたかったんです！」と伝えたほうが、ごちそうしてくれた人も気分をよくするでしょう。目上の人や幹事が選んだお店自体をほめるのもよいでしょう。

✉ あんなに美味しい○○をいただいたのははじめてです。とても素敵なお店だったので、今度は友人と行きたいと思います。

## いい話が聞けました

### 1 お話ありがとうございました。

たとえば、お酒の席での目上の人の話には、ただの雑談のように聞こえても、実は人生の教訓などが含まれているもの。特に仕事のアドバイスはもらっていなくても、お話を聞けて「うれしかった」「ありがたかった」ことを伝えましょう。

✉ 楽しいお話をありがとうございました。

### 2 とても勉強になりました。

さまざまなアドバイスや情報を教えてくれたときは、「時間を割いてくれた」「助言をくれた」２点について、しっかり感謝の意を表しましょう。

✉ 業務内では知ることのできない貴重なお話を、お忙しいときにありがとうございました。とても勉強になりました。

覚えておきたい!

**●飲み会の翌日のマナー**

社内の人にごちそうになった翌日には、メールだけでなく、直接お礼を伝えたほうが印象はよくなります。

そのさいは、朝一番にお礼を言いに行くくらいの気持ちでいましょう。すれちがいざまに「あ、昨日はどうも」なんて言われても、ごちそうしたほうはうれしくないでしょう。

ちなみに、「どうもでした」などというフレーズはお礼の気持ちを表しませんので、ビジネスシーンでは使わないようにしましょう。

## 引用は効果的に使おう

ビジネスメールの返信は、相手のメールを引用しながら書くと、よりわかりやすくなります。

引用には全文引用と部分引用があります。

全文引用する場合は、本文のあとに残しておきます。相手がどんなメールを送ったか確認しやすくなりますし、やりとりの記録としても役立ちます。

部分引用する場合は、相手からの質問や自分がコメントする必要がある部分を引用し、その下に返信文を書きます。

＞明日は何時に出社されますか。　←引用文
8時30分には会社におります。　←返信文

部分引用を活用すると、相手と対話しているようになり、よりスムーズなやりとりが可能になります。

部分引用では、相手の文面は修正せず、また内容がわかる部分だけを残して引用しましょう。相手の文面をまとめ直したり、どの部分かわからないほど短く引用することは避けます。

引用を上手に使って、すばやく的確な返信メールを作成しましょう。

# 3

# 書き出しのフレーズ

冒頭からすぐに用件に入るのは失礼にあたります。
しかし、書き出しのフレーズが
あまりに冗長だとうんざりしますし、
毎回「お世話になっております」ばかりでも味気ないもの。
本章では、メールの書き出しの
さまざまな表現を紹介します。

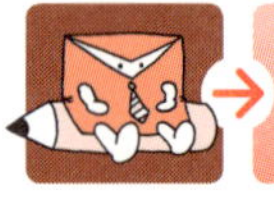

# はじめまして

## 1 はじめまして。

気軽に交流したいときに使えますが、敬語ではないので、使う相手には気をつけましょう。年の近い先輩や同僚に使う言葉、と考えてください。

✉ はじめまして、○○部に配属されました矢木です。

## 2 はじめてご連絡いたします。○○会社の矢木太郎と申します。

はじめてメールを出す相手には、冒頭で、最低限の自己紹介をする必要があります。どこの誰なのか明示するフレーズを入れることで、相手の信頼感が増し、話もスムーズになります。紹介者がいる場合には、その人の名前をきちんと書きましょう。

✉ はじめてご連絡いたします。○○会社で××を担当しております、矢木太郎と申します。株式会社○○の黒木様からご紹介いただきました。

## 3 突然のメールで失礼いたします。

「本来ならお会いするなどしてお話しすべきところ、メールで失礼なのは十分承知しています」ということを知らせる表現です。ほとんど見知らぬ相手にメールを出すときは、このフレーズで切り出しましょう。ぶしつけな印象をなくすことができます。

✉ 突然のメールで失礼いたします。○○を拝見して、ご連絡させていただきました。

## 「はじめまして」フレーズ

**➡はじめまして＋自己紹介**

●はじめまして。貴社のホームページを拝見して、メールいたしました。

●私、○○社の白木の部下で○○を担当しております、矢木太郎と申します。はじめてご連絡差し上げます。

●突然のメールで失礼します。このたび○○課のメンバーに加わりました矢木太郎と申します。

**➡はじめまして＋用件説明**

●先日黒木先生のセミナーに参加し、そのお話に深く感銘を受けました。本日は、ぜひ弊社での講演をお願いしたく、ご連絡申し上げた次第でございます。

**➡はじめまして＋自己紹介＋用件説明**

●はじめてご連絡いたします。○○社○○部の矢木太郎と申します。本日は、黒木様にぜひ昨今の業界動向についてご意見を賜りたく、ご連絡した次第です。

# 久しぶり！

## 1 お久しぶりです。

このフレーズは、「前に会ってから、相当の日時が経ちましたね」とお互いが確認し合うだけの意味しかなく、相手に対する敬意は含まれていません。同僚など親しい人にしか使えませんので、気をつけましょう。

✉ 昨年の懇親会でお会いして以来でしょうか。お久しぶりです。

## 2 ご無沙汰しております。

自分のほうが連絡しなかったことを非礼として詫びる表現。「沙汰」とは便りや知らせという意味で、「無沙汰」は長い間連絡しなかったという意味です。一方、「ご無沙汰です」という省略したフレーズはあまり丁寧な表現ではないので、対等な立場の人にのみ使いましょう。

✉ ご無沙汰しておりまして、失礼いたしました。

## 3 ご無沙汰しておりますが、いかがお過ごしですか。

相手の安否を気遣う表現。最後を「ですか」という疑問文にすると、相手の答えを要求するようにも受けとれます。そこで、「お変わりなくお過ごしのことと存じます」など、相手の健康や活躍を確信する書き方もよく使われます。

✉ ご無沙汰しておりますが、お変わりなくお過ごしのことと存じます。

## 「久しぶり！」フレーズ

### ➡ご無沙汰しております。

- 日頃（久しく、長らく）のご無沙汰をお許しくださいませ。
- すっかりご無沙汰いたしました。
- 長らくご連絡を怠り、深くお詫び申し上げます。
- 思いがけなく長い間のご無沙汰になりました。
- いつも心にかかりながら、ついついご無沙汰いたしまして申し訳ございません。

### ➡ご無沙汰しておりますが、いかがお過ごしですか。

- しばらくお目にかかっておりませんが、お変わりございませんでしょうか。
- 元気でお過ごしのこととお喜び申し上げます。
- お元気にお過ごしのことと拝察申し上げます。
- 皆様にはお健やかにお過ごしのことと存じます。
- 昨年の夏以来、すっかりご無沙汰してしまいましたが、いかがお過ごしでしょうか。
- 一昨年にお目にかかって以来、ご無沙汰しております。黒木様におかれましては、日々ご活躍のことと存じます。

# いつもどうも →P42もチェック

## 1 お世話になっております。

社内・社外どちらの人にも使えるフレーズ。相手の性別、年齢、上下関係、またお世話になっている度合いも問わないので、大変使いやすい表現です。マニュアル言葉のようになってしまいがちですが、感謝の表現であることを忘れないようにしましょう。

✉ 日頃は大変お世話になっております。○○会社の矢木です。

## 2 いつもお心遣いいただき、まことにありがとうございます。

「ありがとうございます」という感謝の言葉が入っているのが特徴です。「お世話になっております」から、変化をつけたいときに使えます。社内の先輩などには、「まことに」を「本当に」と言い換えて使ってもよいでしょう。

✉ いつも温かいお心遣いを賜り、まことにありがとうございます。

## 3 いつもお心にかけていただき、深く感謝申し上げます。

日頃からお世話になっている人に、最大限の感謝を込めている表現です。ときどき定形ではないこのようなフレーズを使うと、相手もうれしくなることでしょう。

✉ 平素よりなにかとお心にかけていただき、まことにありがたく存じます。

## 「日頃のあいさつ」フレーズ

### ➡おつかれさまです。

- いつも遅くまでおつかれさまです。
- 出張先からのご連絡、ありがとうございました。
- 体調がすぐれないところご連絡をいただき、恐れ入ります。

### ➡いつもお世話になっております。

- いつもお力添えをいただき、厚くお礼申し上げます。
- 日頃からなにかとお心配りをいただき、深く感謝申し上げます。
- 平素のご高配、まことにありがたく存じております。
- いつもご愛顧賜り、まことにありがとうございます。
- 毎度お引き立てくださいまして、まことにありがとうございます。

### ➡先日はお世話になりました。

- 先日はいろいろとお世話になり、深く感謝申し上げます。
- その節はいろいろとご配慮を賜り、ありがとうございました。
- 先日はお電話でお話しできてうれしかったです。黒木さんの元気なお声は、みんなを幸せにしてくれますね。
- 先日はお会いできてうれしく思いました。

# 連絡ありがとう

## 1 ご連絡ありがとうございます。

相手から連絡をもらったことへのお礼として使う、もっとも一般的なフレーズです。「連絡してくれた」ことへの感謝の気持ちを表しています。自分からメールを送った場合には「ご返信ありがとうございます」というフレーズを使うのもよいでしょう。

✉ さっそくのご返信、ありがとうございます。

## 2 さっそくお返事をいただき、うれしく思います。

メールをくれたことへの感謝を、もっとストレートに伝えています。「さっそく」「迅速な」などという言葉があると、相手もメールを出してよかったと思うにちがいありません。

✉ ご多忙のところさっそくメールをいただき、とてもうれしく存じました。

## 3 お気持ちの大変こもったメール、うれしく拝読いたしました。

メールをくれたことへの感謝ばかりでなく、中身にまで言及したフレーズです。内容にあったことを書かなければなりませんので、定形で覚えるのではなく、自分の言葉で書くようにしましょう。

✉ 黒木様の温かい励ましのメール、大変ありがたく拝読いたしました。

覚えておきたい!

**●メール以外の連絡に対する返信**

メール以外の手段でコンタクトをとった人には、以下のようなフレーズを使います。

✉ 昨日は、お電話にて失礼いたしました。○○社の矢木太郎でございます。

✉ 昨日は、弊社までご足労いただき、まことにありがとうございました。

✉ 先日はご丁寧なお手紙をいただきまして、まことにありがとうございました。

# 続けて送ります

## 1 何度も申し訳ございません。

メールのやりとりを終わらせる理想のタイミングは、一往復半。特に日程調整などの業務連絡は、「メールを送る→相手からの返信→お礼メール」で終わるのが理想です。それ以上続く場合は、「何度も申し訳ありません」と添えるとよいでしょう。

✉ 何度も申し訳ございません。先ほどお伝えし忘れましたが、私は来週一週間出張に出てしまいます。

## 2 失礼ながら重ねて申し上げます。

「たびたび失礼いたします」も同様のニュアンスで使用可能です。メールを送ったのに、長い間相手から返信がない場合などにも、遠回しに催促・確認する意味で使えます。

✉ 失礼ながら重ねて申し上げます。先週までにとお話しいたしました、見積書のご提出をお願いいたします。

**覚えておきたい!**

### ●複数の添付ファイルを送る場合

複数の添付ファイルを送信したい場合、容量が心配なら何通かのメールに分けて送る方法もあります。その場合はまず、これからどのような内容のメールを何通送るのかを伝えるメールを作成しましょう。

さらに件名の末尾に「1/5」「2/5」などをつけると、何通目なのかが明確になります。

## 「続けて送ります」メール

**➡用件の伝え忘れにより、続けてメールを送信します。**

●先ほどは失念しましたが、時間を確認させてください。

**➡添付忘れのため、続けてメールを送信します。**

●昨日お送りしたメールには添付ファイルがございませんでした。改めて、本メールに添付いたします。大変失礼いたしました。

**➡書きかけのメールを送信してしまったため、訂正メールです。**

●申し訳ございません、先ほどのメールは作成途中のものです。削除いただき、本メールのほうをご覧いただけますでしょうか。

**➡エラーになってしまったので、念のため再送信します。**

●メールが戻って来てしまいましたので、再送いたします。すでに届いておりましたら、申し訳ございません。

**➡返信がないので、ちがうアドレスに同じ内容を送信します。**

●先週、会社のアドレスにお送りしたものと同じメールです。念のためもう一度お送りいたします。重複をお許しください。

## 季節をからめた書き出し（春・夏）

ビジネスメールの書き出しに「立春の候」などという時候のあいさつ文は不要です。しかし、季節や天気の話題にさりげなく触れる書き出しは、「メール上級者」の印象を与えます。

**春**

- 春とはいえ、まだ肌寒い日が続きますね。
- 日増しに日差しが春めいてまいりました。
- 弊社の近くの小学校でも入学式があったようで、初々しい新小学生を見かけるようになりました。
- 満開の桜が、青木さんの新しい門出を祝っているようです。
- お花見の季節だというのに、すっきりしない天気が続きます。
- 春の眠りは心地よく、寝ても寝ても寝足りない毎日です。
- あれほど咲き誇っていた桜も、昨夜来の雨ですっかり散ってしまいました。今年はどこかへお花見においでになりましたか。
- 雨に濡れた若葉がいっそう鮮やかな彩りを見せています。

| | |
|---|---|
| 夏 | ●雨もひと休みして、太陽がひときわ鮮やかです。 |
| | ●梅雨が明け、一気に夏の強い日差しが差し込んでいます。 |
| | ●まぶしい日差しに、夕立が恋しくなります。 |
| | ●ビールのおいしい季節ですね。 |
| | ●節電の夏、弊社でもとうとうスーパークールビズが導入されました。 |
| | ●毎日炎暑が続いておりますが、いかがお過ごしでしょうか。 |
| | ●夏期休暇はいかがお過ごしになりましたか。 |
| | ●風鈴の音に涼を誘われるこの頃です。 |
| | ●ようやく暑さも峠を越したようですね。 |
| | ●今年は残暑がひときわ厳しいですね。 |

覚えておきたい!

**●季節の話題は文末でも**

季節をからめたフレーズを文頭で使うと、「社交辞令が長いな」と、冗長に感じる人もいるかもしれません。そのような心配がある場合は、最後にさりげなく置く方法もあります。

文末ならば読み飛ばせることもあり、あまり重々しい印象にはなりません。

✉ 暑い日が続きますね。どうぞお元気で。

✉ まだまだ寒さは続きますが、お互いにがんばりましょう。

## 季節をからめた書き出し（秋・冬）

**秋**

- 朝夕の風に秋の気配を感じます。
- 秋風が心地よく頬をなでる季節となりました。
- ひと雨ごとに秋の色が濃くなってまいりました。
- しんと冷たく澄んだ夜空に星が白くまたたいています。
- 静かな冬の夜、月がいっそう輝いて見えます。
- お散歩が楽しい季節となりました。
- 冷たい木枯らしに、落ち葉がくるくる舞っています。
- 日だまりの恋しい季節となりました。
- そろそろお鍋が恋しい季節ですね。

**冬**

- 寒さがいちだんと厳しくなってきました。
- もう冬支度でお忙しいことと思います。
- 年末になるとなんとはなしに心がはやりますね。
- 師走の街の賑わいに、行く年を惜しむ気持ちがつのります。
- 今年もあと×日を残すばかりですね。
- 雪のように真っさらな新しい年がはじまります。
- 寒い日々が続きますが、お変わりありませんか。

**●本文に入るときの言葉**

あいさつをすませ、いよいよ本文に入るとき、「さて」「ところで」などのつなぎの接続詞を使います。この言葉を「起辞」または「書き起こしの言葉」と言います。

この接続詞は、「いまから本題に入るよ」という合図です。代表的なものをいくつか紹介します。

**➡さて／ところで／さっそくですが**

もっともよく使われる接続詞です。あいさつから転換して、変化をつけたいときに役立ちます。

✉ 暑い毎日が続いておりますが、ご体調など崩されていないでしょうか。さて、さっそくですが、掲題の件についてお願いがございます。

✉ 冬支度でお忙しいことと存じます。ところで、過日お願いした件ですが、その後いかがでしょうか。

**➡つきましては／ついては**

書き出しのあいさつ文を受け、本文をそのまま続けるときに使います。冒頭の書き出し文と本文の内容がかけ離れていない場合は、この接続詞が使えます。

✉ 今年も残すところあと×日となりました。つきましては、下記の要領で忘年会を開催いたします。

✉ 日増しに日差しが春めいてまいりました。ついては、毎年恒例のお花見を実施したいと存じます。

また、上記のつなぎの接続詞に続けるフレーズとして、「ご存じのことと思いますが」「お聞き及びのこととは存じますが」などのクッション言葉を入れる方法もあります。詳しくは104ページを参照してください。

✉ 寒さがいちだんと厳しくなってきましたね。さて、すでにお聞き及びのこととは存じますが、営業二課の青木くんに大阪支店勤務の辞令が出ました。

## ビジネスメールでの漢字の使い方

ビジネスメールで、難しい漢字を使うことはオススメできません。読みづらくなるうえ、内容が複雑な印象になってしまうからです。できるだけ常用漢字（社会生活における漢字使用の目安として文部科学省が定めた漢字）を使うよう心がけましょう。

宜しくお願いします → よろしくお願いします
有難う御座いました → ありがとうございました

また、「～下さい」「～ください」など、漢字を使うか、ひらがなを使うかで迷うこともあるでしょう。

そのさいの判断には、『記者ハンドブック』（共同通信社）が役立ちます。これは新聞記者が、記事を書くにあたって表記をチェックする本です。

ちなみに、漢字の「下さい」は、動詞として使われる場合の表記になります。

資料を下さい → 下さい（動詞）

それに対して、ひらがなの「～ください」は、動詞を補助する補助動詞として使われる場合の表記です。

話してください → 話す（動詞）＋ください（補助動詞）

# 4

# お祝い・お礼のフレーズ

「ありがとう」などのお礼フレーズは、
その意図によって、感謝・感激・喜び・意気込みなどを
伝える表現に分けられます。
なお、「おめでとう」などのお祝いメールでは、
忌み言葉（84ページ）を避けるのがマナーです。

# おめでとう

## 1 おめでとうございます。

素直にお祝いの気持ちを伝える代表的なフレーズ。「めでたい」は、賞賛するという意味の「愛づ（連用形：めで）」に、程度がはなはだしいという意味の「いたし（甚し）」がついた「めでいたし」を縮めた形。「賞賛する以外ないほどすばらしい」が原義です。

✉ このたびのご栄転、まことにおめでとうございます。

## 2 心よりお祝いを申し上げます。

かしこまった表現で、やや形式的なきらいはありますが、どんな目上の人にも対応できるフレーズとして重宝します。さらに、「心よりお喜び申し上げます」とすると、自分も喜んでいる気持ちも伝えることができます。

✉ 今年度の大賞を受賞されたとのこと、心よりお祝いを申し上げます。

## 3 謹んでお慶び申し上げます。

ビジネスの儀礼的な場面でよく使われる、あらたまった表現です。「慶ぶ」と「喜ぶ」は同じ意味ですが、ふだん「喜ぶ」を使っているため、慶事のときには「慶ぶ」を使って特別な印象を強調するとよいでしょう。

✉ 皆様にはますますご健勝のこととお慶び申し上げます。

## 「おめでとう」フレーズ

**➡本当におめでとうございます。**

- まことに大慶に存じます。
- まことにおめでたく存じます。
- 慶びにたえません。
- いよいよ宿願を果たされましたね。
- 日頃からのご活躍が評価されたものと存じます。

**➡周りの皆様もおめでとうございます。**

- 皆様もさぞお喜びのことでございましょう。
- 皆様のお喜びもいかほどかと拝察申し上げます。
- 御社の黒木様もさぞお喜びのことと存じます。

**➡私もうれしいです。**

- 本当にうれしく存じます。
- 心からご祝福いたします。
- まことに喜ばしい思いでございます。

**➡これからもがんばってください。**

- ご幸福とご繁栄をお祈りいたします。
- お身体に気を配り、存分にご活躍ください。
- これからのご活躍と幸運を心よりお祈りいたします。

# ありがとう

## 1 ありがとうございます。

感謝の気持ちを表すもっとも一般的な表現です。「いつも」を頭につけて、あいさつ言葉としても使われます。「ありがとう」の語源は「有り難し」。「有ることが難しい」、つまり「めったにない」「もったいない」といった意味があります。

✉ 昨日は弊社までご足労いただき、まことにありがとうございました。

## 2 心よりお礼申し上げます。

外部の取引先などに使える表現です。メールの文面で、「ありがとう」が続いてしまうときなどは、「お礼申し上げます」や「恐れ入ります」といったフレーズも交えてお礼を伝えるとよいでしょう。

✉ ご指摘いただきまして、ありがたいかぎりです。心よりお礼申し上げます。

## 3 お礼の申し上げようもございません。

社外の人へのお礼や、公的な事柄のお礼などに使える大変丁寧なお礼表現です。「深く感謝しており、その気持ちはとても言葉にし尽くせません」という思いがストレートに伝わります。期待以上の親切を受けたときなどに使います。

✉ 先日は思いもかけぬご親切を賜り、お礼の言葉もございません。

## 「ありがとう」フレーズ

**➡いつもありがとうございます。**

- 平素は格別のご高配にあずかり、恐縮に存じます。
- 日頃のご配慮に頭の下がる思いです。
- いつもお気遣いいただき、感謝の気持ちでいっぱいです。
- いつもお心にかけていただき、恐縮しております。

**➡贈り物をありがとうございます。**

- 思いもよらない贈り物をいただき、感激しております。
- お祝いの品までいただき、なんとお礼申し上げればよいか、言葉もありません。
- このたびは御地名産のりんごをお送りいただき、まことにありがとうございました。みずみずしい味を営業部一同で堪能させていただきました。
- ○○にさいし、過分なお心遣いをいただき、心より感謝いたします。

# 感謝してます

## 1 感謝しております。

「感謝」という漢語を使うと、「ありがとうございます」よりもかしこまった印象になります。感謝の心は、相手にこんなことをしていただいて申し訳ないと思う気持ちと隣り合わせ。つい「すみません」と言ってしまいがちですが、それよりも「ありがとう」と感謝されたほうが相手も気持ちがよいものです。

✉ 先日はお時間を割いていただき、感謝しております。

## 2 深謝いたします。

「深謝」は「深く感謝する」という意味で、強い感謝の気持ちを表します。「深く感謝しております」よりも、「深謝」と漢語を使ったほうが、より丁寧な表現になります。なお、「心から謝る」という、まったくちがう意味もあります（89ページ）。

✉ このたびのおとりはからい、深謝いたします。

## 3 ただただ感謝の気持ちでいっぱいです。

相手の親切に対して、感謝することしか頭に浮かばない気持ちを伝えます。ただ、大変感情的な表現なので、ちょっとした感謝の場面で使うと、逆に茶化した印象を与えてしまう可能性もあります。「感謝の念に堪えません」も同じ意味で使えます。

✉ ご尽力いただき、ただただ感謝の気持ちでいっぱいです。

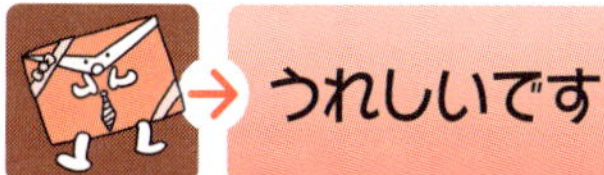

# うれしいです

## 1 うれしいです。

親切やうれしい知らせに対しての感謝表現で、対等な立場の相手に使います。なお、「形容詞＋です」は文法的にはまちがった表現ですが、慣用表現として認められています。正しくは「うれしゅうございます」ですが、日常的にはあまり使われません。

✉ 社内コンペ通過のご連絡、ありがとうございます。本当にうれしいです。

## 2 うれしく存じます。

「存じます」「思います」をつけることで、「うれしいです」よりも丁寧な響きをもたせることができます。「存じます」は、「思います」の謙譲表現なので、「うれしく思います」よりもへりくだっていることになります。

✉ ご検討いただき、うれしく存じます。

## 3 感激しております。

感謝と喜びを率直に伝える表現です。公的な文書にはふさわしくありませんが、「感激」という言葉を使うと感謝の気持ちがストレートに伝わり、実感のこもったお礼表現になります。「感激です」ではくだけすぎた印象になるので、「感激しております」を使いましょう。

✉ 黒木様にはとても親切にしていただき、感激しております。

# お気遣いありがとう

## 1 お気遣いありがとうございます。

気遣ってくれた相手に対してお礼を伝える表現。具体的になにかをしてもらって感謝するというより、もっと日常的に、もっと深く心を配ってもらっているような場合にふさわしいフレーズです。

✉ いつもなにかとお気遣いいただき、ありがとうございます。

## 2 ご配慮ありがとうございます。

心配をしてくれたり、気遣ってくれた相手への感謝のフレーズです。よりありがたい気持ちを伝えたい場合は、「ご配慮いただき、感謝しております」のように表現するとよいでしょう。

✉ 先日の会合ではご配慮くださり、お礼申し上げます。

## 3 いつもお心にかけていただき、まことにありがとうございます。

なにかにつけ気遣ったり、かまってくれる相手に対する感謝の言葉です。具体的になにかをしてもらったわけでなくても、日頃の感謝表現としても使えます。

✉ いつもお心にかけていただき、本当にありがとうございます。ご期待に沿えますよう、全力で努めてまいります。

## 「感謝」と「今後のあいさつ」フレーズ

**➡今回はありがとう。今後もよろしく。**

- いつも誠実にご対応いただき、心から感謝しております。またご一緒できることを祈っております。
- 黒木様のおとりはからいにはとても感謝しております。御社にはこれからさらに貢献できるように努力いたします。
- このたびはいろいろとお気遣いくださり、感謝の気持ちでいっぱいです。これからもお付き合いいただけることを祈っております。

**➡今回はありがとう。今後もがんばります。**

- このたびはリサーチ業務に関しまして、多大なるご尽力をいただき、本当にありがとうございました。今後は誠心誠意ご恩に報えるよう、努力したいと存じます。
- このたびは迅速にご対応いただき、ありがとうございました。今後のとりまとめ作業は私のほうで進めてまいります。鋭意努力いたしますので、なにとぞよろしくお願いいたします。

## あなたのおかげ！ →P44もチェック

### 1 おかげさまで

「おかげ」は、協力してくれた相手への感謝を表現する言葉。この言葉の直後に、相手の尽力によって達成できた結果を書きます。「おかげさまをもちまして」「おかげをもちまして」などのように表現すると、丁寧な表現になります。

✉ おかげさまをもちまして、無事に納品することができました。心よりお礼申し上げます。

### 2 ○○様のお力添えのおかげで

貢献してくれた相手の行為へ、敬意を表現しています。相手に協力を求めるときは、「お力添えをいただきたく」「お力添えを願います」などのように使います。

✉ 黒木様のお力添えのおかげで、どうにか仕上げることができました。まことにありがとうございました。

### 3 お骨折りいただきまして

協力してくれた相手の手間に敬意を表すときに使います。「骨」には「苦労」という意味もあります。「骨折り損」は苦労したのに無駄になること、「骨を惜しまず働く」は苦労をいとわず働くことです。

✉ 黒木様にはいろいろとお骨折りいただきまして、本当にありがとうございました。

## 「感謝」と「謝罪」のあいだのフレーズ

**➡悪いね、ありがとう。**

- わざわざお届けくださいまして、恐れ入ります。
- ご多忙のところ、まことに恐縮でございます。
- お心遣い、痛み入ります。
- お骨折りに、深く感謝しております。

**➡大変だったでしょう、ありがとう。**

- お手数をおかけしたことと存じます。ありがとうございました。
- お忙しいなかお手配いただきまして、厚くお礼申し上げます。
- このたびはお忙しいところ、お手をわずらわせてしまいまして申し訳ございません。
- 何度も修正をお願いしてしまい、ご面倒をおかけしました。

**覚えておきたい!**

**●「恐縮」の使い方**

「恐縮」は、依頼・謝罪・感謝する場面の決まり文句。

さらに「恐縮至極」という表現もあります。「至極」は「このうえなく」という意味で、最大級の表現ですが、ふつうの場面では違和感を覚えることもありますので、使うときには注意しましょう。

✉ お忙しいところ恐縮ですが、ご連絡いただけると幸いです。

## 「お祝い」「お見舞い」メールで避けたい“忌み言葉”

お祝いごとやお見舞いで気をつけたいのが忌み言葉です。気にしない人もいますが、不吉、不幸、災害、悪、死などを連想する言葉は、言い換えたりして使わないようにするのがマナーです。

また気づかずに使ってしまいがちなのが、重ね言葉。「返す返す」「重ね重ね」「重ねて」「いよいよ」「とうとう」「しばしば」「もう一度」「続きまして」「まだまだ」などは、悪いことの繰り返しを意味するので、お祝い・お見舞いメールで使うのはよくありません。

**1.結婚・婚約 ― 別れに通じる言葉**

終わる、切れる、離れる、冷える、別れる、去る、帰る、戻る、飽きる、割れる、再度、繰り返し、再三など

**2.出産・妊娠 ― 流・死に通じる言葉**

流れる、消える、去る、終わる、落ちる、壊れるなど

**3.開店・開業 ― 焼ける・終わるに通じる言葉**

火、焼ける、煙、崩れる、閉じる、つぶれる、失う、傾く、さびれる、倒れる、散る、落ちるなど

**4.病気、けが、災害見舞い ― 苦しみや重なることを連想させる言葉**

死、苦しむ、繰り返す、去る、終わるなど

# お詫びのフレーズ

きちんとしたお詫びの言葉には、
相手はよい印象を抱くものです。
謝罪の仕方によっては見直してもらえたり、
もう一度チャンスをもらえることもあります。
さまざまなお詫びのフレーズを身につけ、
場面によって使い分けましょう。

# すみません

## 1 失礼いたしました。

仕事のミスのほか、失言の謝罪などにも使えます。節度のある印象がありますが、重大な過失では使えません。「失礼」とは、「礼を失する＝礼儀を守っていない」という意味で、軽いお詫びの言葉だからです。

✉ 先ほどはお約束なくお邪魔いたしまして、大変失礼いたしました。

## 2 大変申し訳ございませんでした。

「申し訳ない」は言い訳ができないほど悪いと思っている、という意味です。弁明していけないわけではありませんが、「申し訳ございません」の直後に言い訳するようなフレーズをもってくるのはふさわしくないでしょう。

✉ 重ね重ね、本当に申し訳ございません。

## 3 陳謝いたします。

書き言葉の謝罪表現としては最上級の表現。しかしその分、安易に使えないので、相手やシチュエーションを選びましょう。「陳謝」とは、理由を述べて謝ることです。自分のミスの原因や、今後の対策について説明し、相手に理解を求めるときに使います。

✉ 打ち合わせの時間を勘違いしており、多大なご迷惑をおかけしたことを陳謝いたします。

覚えておきたい!

**●「すみません」は謝罪？　感謝？**

「すみません」や「ごめんなさい」などは、ビジネスではあまり使ってはいけないフレーズとされています。

どちらも謝罪のニュアンスが弱く、友人や本当に親しい同僚が相手なら使ってもよいかな、というレベルです。

また、「すみません」は、「ありがとうございます」「ごめんください」「ごめんなさい」「かたじけない」などさまざまな言葉の代用にもできるため、意味が曖昧になりがち。

頼みごとなら「恐れ入りますが」、感謝には「ありがとうございます」、そして謝罪は本章で紹介しているようなフレーズに言い換えるようにしましょう。

# 迷惑をかけてすみません

## 1 大変ご迷惑をおかけいたしました。

迷惑をかけたことを謝罪する表現。相手に非がある場合でも、とにかくこうした言葉で謝罪すると、さらなるトラブルに発展するのを防ぐこともできるでしょう。

✉ **お伝えするのを失念しておりまして、大変ご迷惑をおかけいたしました。**

## 2 ご不快の念をおかけしました。

接客業などで使われます。こちらの非はともかくとして、相手を不快にさせたことをまずお詫びする表現です。

✉ **失礼なことを申し上げ、ご不快の念をおかけしましたこと、深くお詫びいたします。**

## 3 多大なご迷惑をおかけして、心から申し訳なく存じます。

謝罪は相手の許しを乞うことが目的です。「申し訳ない」を繰り返しても心情的には納得しがたいものです。相手の立場や気持ち、負担をきめ細かく想像し、相手の心に届きやすい表現を選びましょう。

✉ **このたびは多大なご迷惑をおかけして、心から申し訳なく、幾重にもお詫び申し上げます。**

## 「迷惑をかけてすみません」フレーズ

**➡こちらのせいで、迷惑をかけました。**

- 私どもの心得違いでスケジュールが遅れてしまい、深謝いたします。
- こちらの不手際により、大変ご心配をおかけいたしました。

**➡迷惑をかけて、恥ずかしいです。**

- 恥じ入るばかりです。
- まことにお恥ずかしいかぎりです。
- 面目次第もございません。
- 黒木様ばかりでなく、周囲の方々にもご迷惑をおかけし、顔向けできない気持ちでいっぱいです。

**➡言い訳できないほど、迷惑をかけました。**

- 申し開きのしようもありません。
- 弁解の余地もございません。
- お詫びの言葉もございません。

# 私が悪かったです

## 1 私の力不足です。

自分の職域や能力で引き受けられる範囲であれば、このような表現も使えます。ただし、若いうちは責任を負える範囲もかぎられるので、「このような事態になるとは、考えが及びませんでした」などと素直に謝罪したほうがよい場合もあります。

✉ 私の考えが及ばないばかりにこのような事態を招いてしまい、本当に申し訳ございません。

## 2 私の至らなさが招いた結果です。

自分の配慮や、能力、監督などが不十分だったことを認めて、相手にお詫びする表現です。自分が原因であることを認める潔さは伝えられます。部下のミスを謝罪するときにも使えます。

✉ 私の至らなさでご迷惑をおかけしたことを、深くお詫びいたします。

## 3 不徳のいたすところです。

「不徳のいたすところ」とは、自分の徳が足りないために引き起こした失敗という意味です。失敗の原因が自分にあると自覚していることを明確にして、お詫びと反省の意を示します。またこのフレーズは、上司が監督責任を詫びるときにも使えます。

✉ 今回の件は、ひとえに私の不徳のいたすところであり、弁明のしようもありません。

## 社内の人のミスを代わりにお詫びするとき

敬語には、「身内を高めてはいけない」というルールがあります。なかでも特に気をつけたいのは、社内の人のミスを代わりに謝罪するときの表現です。

**✕担当がご迷惑をかけたようで、申し訳ありません。**

などと、「自分には関係ない」という姿勢はビジネスでは通用しないのはもちろんですが、

**✕ご指摘いただいた件は、担当にもお伝えしておきます。**
**✕上司にもきちんとご報告しておきます。**

のように社内の人を高めるまちがい敬語は、相手の神経を逆なでしかねません。
「お伝えする」「ご報告する」は、自分の会社の担当者や上司を高める表現です。正しくは以下のようになります。

**○ご指摘いただいた件は、社内でいま一度確認し、今後このようなことのないように徹底してまいります。**
**○部長の○○にもこのことを報告し、社をあげて改善に努めたいと存じます。**

## 反省しています

### 1 お詫びします。

謝罪の気持ちを伝える言葉として、広く使われます。ほかのお詫びの言葉と組み合わせて使うことが多いようです。なお、「お詫びいたします」→「お詫び申し上げます」→「謹んでお詫び申し上げます」と、順に丁寧さが増します。

✉ ご迷惑をおかけし、お詫び申し上げます。

### 2 深く反省しております。

相手になんの落ち度もなく、自分の一方的なミスで多大な迷惑をかけたような場合に使う表現。強く反省するという意味の「猛省」を使ってもよいでしょう。

✉ 今回は、黒木様のお手をわずらわせてしまいましたこと、猛省しております。

### 3 お詫びの申し上げようもございません。

取り返しのつかない事態になってしまった場合などで使う、お詫びの気持ちを最大限強調した表現。あまりに申し訳なさすぎて、お詫びの言葉も見当たらないという意味です。ひたすら頭を下げ続け、相手にただただ謝るしかない状況を表しています。

✉ 多大なるご迷惑をおかけし、申し開きのしようもありません。

## 「反省しています」フレーズ

**➡本当に反省しています。**

- 自責の念にかられております。
- 伏してお詫び申し上げます。
- 謝ってすむことではないだけに、途方に暮れるばかりです。

**➡反省しています。今後、がんばります。**

- 二度とこのようなことのないよう、努めてまいります。
- 今後このようなことを繰り返さないよう、肝に銘じます。
- 二度とご迷惑をおかけすることのないよう、ただちに改めます。

**➡反省しています。埋め合わせをします。**

- なんとしてでも償いはさせていただきます。
- 改めて謝罪のために、上司とともにおうかがいいたします。

覚えておきたい!

**●軽い注意への謝罪**

たとえば社内の先輩に仕事のミスを注意されたとき、「お詫びの申し上げようもございません」などというフレーズを使うと、かしこまりすぎておかしいですね。

そんな場面ではおおげさな謝罪よりも、以下のような表現を使うとよいでしょう。

✉ ご指摘ありがとうございました。以後十分気をつけます。

1 ルール
2 社内頻出
3 書き出し
4 お祝い お礼
5 お詫び
6 説明
7 受領 送付
8 お願い
9 催促
10 抗議
11 お断り
12 了解
13 ご案内
14 お見舞い
15 異動
16 転職 退職
17 結び
18 文例
索引

# 許してください

## 1 お許しください。

許しを請う場合の基本的な表現ですが、重大なミスをしてしまった場面では使えません。「ちょっと失礼」程度の謝罪の意味しかありませんので、使い方に気をつけましょう。

✉ 長文、お許しくださいませ。

## 2 ご勘弁ください。

「ご容赦」よりも、やや軽い言い回しです。「ご勘弁願えませんでしょうか」とすると、丁寧になります。一方で、「勘弁してください」は、「もういいでしょ」と謝罪する側から話を切り上げるニュアンスになってしまうため、使わないほうがよいでしょう。

✉ 当日のキャンセルはご勘弁願います。

## 3 ご容赦くださいますよう、お願い申し上げます。

大きなミスのときに使える表現です。「ご容赦ください」だけでは命令口調の印象を与えるので、「お願い申し上げます」をつけるようにしましょう。「ご容赦」の代わりに、「ご海容（かいよう）」「ご寛恕（かんじょ）」なども使えますが、どちらかというと手紙で使う表現です。

✉ このたびの不手際の件、なにとぞご容赦くださいますよう、伏してお願い申し上げる次第でございます。

## 「許してください」フレーズ

**➡どうか許してください。**

- 平にご容赦のほど、心よりお願い申し上げます。
- 深く反省しております。以後慎みますので、今回のことは平にご容赦ください。

**➡広い心で許してください。**

- 貴兄のご温情におすがりするばかりです。
- このたびの不始末、簡単にお許し願うべき筋合いのものではございませんが、今回だけ寛大なご処置をお願いいたします。

覚えておきたい!

### ●お詫びフレーズの配置ミスで逆効果に?

お詫びの気持ちをしっかり伝えるためには、お詫びフレーズの配置にも気を配りましょう。たとえば、以下のAとBでは、どちらが申し訳ない気持ちが伝わるでしょうか。

**A：借りた本をなくしてしまいました。すぐに同じ本を買って返します。申し訳ございません。**

**B：借りた本をなくしてしまいました。申し訳ございません。すぐに同じ本を買って返します。**

内容としては同じ言葉ですが、Bのほうが申し訳ないという気持ちが伝わってきます。Aのように補償のことを先に言ってしまうと、「返すのだから、それでいいでしょう？」というニュアンスを含むように感じられます。

## 注意したい! お詫びのフレーズ

✕ **遺憾の意を表します。**

➡「遺憾の意を表す」は、「残念だという気持ちを示す」ということなので、お詫びしているわけではありません。「はなはだ遺憾に存じます」(136ページ)などのように、「当然の対応をしてもらえず残念です」と伝えるときに使うことが多いでしょう。

○ **私の至らなさが招いた結果です。**(90ページ)

✕ **どうも申し訳ございません。**

➡「どうも」は利用範囲が広く、さまざまな場面で使えるため、謝罪表現と一緒に使うと重みがなくなってしまいます。「まことに」「大変」などを使うようにしましょう。

○ **大変申し訳ございません。**(86ページ)

✕ **うっかりしておりまして、失礼しました。**

➡ビジネスシーンで「うっかり」は通用しませんので、このような表現はふさわしくありません。「心得違いで」「失念しておりまして」「不手際で」などの表現を使いましょう。

○ **こちらの不手際により、大変ご心配をおかけいたしました。**

(89ページ)

✕ お詫びしたいと思います。

➡「～したいと思います」は、自分が一歩引いてしまっている印象を与え、実際にはお詫びしたくないのかと思われてしまいます。「存じます」「考えております」も同様に、使い方には注意が必要です。

○ お詫びいたします。(92ページ)

✕ 迷惑をかけているようで、恐縮です。

➡「ようで」も「～したいと思います」と同様に、当事者意識がうすいと受けとられる可能性があります。相手の気持ちを逆なでする恐れもありますので、使わないようにしましょう。

○ 大変ご迷惑をおかけいたしました。(88ページ)

✕ 申し訳ありませんでした。以上

➡「以上」を使うと、「これでお詫びはおしまい！」というニュアンスを含んでしまいます。謝罪する側から話を切り上げようとするのは、よい印象ではありません。お詫びメールの最後は、今後どうしていくかを伝える結びにするとよいでしょう。

○ 今後このようなことを繰り返さないよう、肝に銘じます。(93ページ)

## 「お」と「ご」の上手な使い方

とにかく丁寧な表現にしようと、やたらと「お」や「ご」をつけたくなるものですが、使い方にはルールがあります。

**【ルール1】**

「お」や「ご」をつけるのは、相手に対してです。基本的には自分の持ちものや動作にはつけません（例外は168ページ）。

・ご提案ありがとうございます。←相手の動作

・提案いたします。←自分の動作

**【ルール2】**

「お」は和語（訓読みする日本固有の単語）に、「ご」は漢語（音読みする漢字で組み立てられた単語）につけるのが原則です。

・お考え（和語）　⟷　ご意見（漢語）

・お力添え（和語）⟷　ご協力（漢語）

**【ルール3】**

「お」や「ご」をつけてはいけない言葉があります。①外来語、②「お」「ご」ではじまる言葉の前、③よい意味ではない言葉、④動物、植物や自然現象などです。

✕ ①おビール、②お奥さま、③お強盗、④お犬

以上のルールは、だいたいの傾向を示したもので、例外もあります。目安として考えてください。

# 6

# 説明のフレーズ

ビジネスシーンでは、「だって」「でも」「だから」といった
子どもっぽい説明フレーズはふさわしくありません。
客観的に状況を説明し、
さらに謝罪する必要があるときは
お詫びの言葉も添える必要があります。
社会人にふさわしい説明フレーズを身につけましょう。

# これから説明します

## 1 ご回答申し上げます。

相手から問い合わせを受けた場合に、「これから答えますよ」と宣言するフレーズです。このほか、「お答え申し上げます」、「お問い合わせいただきました件につきましては、以下の通りです」なども使えます。

✉ **お問い合わせいただきました件について、ご回答申し上げます。**

## 2 ご説明申し上げます。

あとに続く文章で説明をはじめることを示すフレーズです。この場合の「お」「ご」は、自分ではなく相手に対する丁寧表現という考え方をします。たとえば、「お届けする」「お送りする」「ご連絡する」なども相手にかかる行為ですので、相手への表現を丁寧にすることによって、相手に対して敬意を表しているともいえます。

✉ **今回の出荷停止処置につきまして、ご説明申し上げます。**

## 3 釈明申し上げます。

「釈明」とは、自分が受けた誤解や非難に対して、自分の立場や事情を説明し、理解を求めることです。「説明申し上げます」よりもやむを得ない事情がある場合などに使います。「事情をご説明いたします」も同様のニュアンスで使えます。

✉ **本日の配送見合わせについて、釈明申し上げます。**

## ～のようです

### 1 ～とのことです。

いま把握できていることを説明するときに使う表現です。自分の言葉ではなく、人から聞いたことを伝えているので、「謝罪してほしいのに、人ごとのように言うなんて」と思われてしまう可能性もあります。相手や場面によってはほかのフレーズを使いましょう。

✉ 弊社○○部によりますと、このたびの問題に対する修復作業には、あと3時間ほどいただきたいとのことです。

### 2 ～の次第です。

事情や経過を報告するときに使う表現です。「ご相談させていただきたく、メールをお送りした次第でございます」などのように、謝罪のための事情説明ではない場合にも使えます。

✉ 問題の解決には至っておりませんが、ひとまず現状のご報告をさせていただいた次第です。

### 3 ～となっております。

決定事項を客観的に知らせることができるので、問い合わせの回答などにもよく使われます。「あらかじめ(規則などで)決まっています」というニュアンスを伝えられます。

✉ 大変恐縮ですが、個人情報についてはお答えできない規則になっております。

# いまはこんな状況です（マイナスの状況）

## 思うように進んでいないのが現状です。

精一杯がんばっているのですが、なかなか作業（仕事）が進まない場合に使います。「思うように～ない」は自分（たち）以外に原因があることを遠回しに表しています。

✉ 鋭意製作中ではございますが、思うように進んでいないのが現状です。

## 残念ながら成果があがっているとは言えません。

このほか、「成果が表れているとは言えない状況です」などのフレーズも使えます。「成果」は、「よい結果」という意味をもっているので、「よい成果があがっていません」と使うのはまちがいです。

✉ 予定通り進行中ですが、残念ながら成果があがっているとは言えません。

## 最終的な調整段階で手間どっています。

状況を詳しく説明せず、ほぼ完成していることをほのめかす表現。このフレーズによって相手を安心させることもできます。しかし、ごまかしている印象を与える可能性もあるため、あまり頻繁に使うことは避けましょう。

✉ お客様紹介キャンペーンを準備中ですが、最終的な調整段階で手間どっている状況です。

覚えておきたい!

**●いまはこんな状況です**（プラスの状況）

依頼したほうは、相手の仕事がどのような状況であるのかが気になるものです。はじめて仕事を依頼する相手であればなおさらです。

そこで、次のようなフレーズで仕事のはかどり具合をマメに伝えると、相手に安心感を与えられます。

✉ 現在のところ、8割くらいは仕上がりました。締め切りには十分間に合います。

✉ 現在、順調に進んでおります。問題が発生したら、ご連絡するようにいたします。

✉ 一通りできあがりましたが、再度見直し、よりよいものに仕上げております。

# 知っていると思いますが

## ご存じのことと思いますが

自分と相手に共通の認識があることを強調し、自分の話に説得力をもたせる表現。また、「そんなことは知っているのに」と、相手に不快な思いをさせないためにも使えます。

✉ ご存じのことと思いますが、昨今の節電対策のため、本会場では照明の数を減らしております。

## お聞き及びのこととは存じますが

「聞いているとは思いますが、もう一度説明します」と、重複する可能性があることを示します。「ご承知いただいていると思いますが」も同様のニュアンスで使えます。

✉ お聞き及びのこととは存じますが、弊社ではご注文から発送まで中3日頂戴しております。

**覚えておきたい!**

### ●メールに不可欠な「クッション言葉」

言いにくいことや、相手の期待に反すること、こちらの意見を相手に受け入れてもらいたい場合などに、クッションとなる言葉をはさむことによって、文章全体をやわらかい印象にできることがあります。クッション言葉には、「申し訳ございませんが」「恐れ入りますが」「恐縮ですが」「お手数でございますが」「お忙しいところを」「大変勝手を申しまして恐縮ですが」などがあります。

✉ まことに申し訳ございませんが、明日までにご提出いただけないでしょうか。

# それは誤解なので、説明します

## 行き違いがあったように思いますので

「行き違い」とは、意志が通じずに誤解が起こること。「誤解されているようなので」とはっきり明示してしまうと、聞こえもよくありませんので、このような表現でやわらげます。

✉ 行き違いがあったかもしれませんので、改めてご説明申し上げます。

## ご説明が不十分だった点もあるかと存じますので

相手を責めることはせず、自分の説明が至らなかったことを詫び、相手を立てる表現です。一方で、相手が誤解していることをほのめかす効果もあります。同様の表現として、「言葉が足りない点があったかと存じますので」というフレーズも使えます。

✉ ご説明が不十分だった点もあるかと存じますので、もう一度ご説明申し上げます。

## 誤解なされているように思いますので

相手が明らかに誤解していて、婉曲的な表現が通じないとき、それを説明する前に使われるフレーズです。丁寧な言い方ではありますが、相手の言うことを「誤解」とはっきり示してしまうので、使い方に注意が必要です。

✉ 大変恐縮ですが、黒木様は誤解なされているように思いますので、改めて事情を述べさせていただきます。

# 問題の原因は〜です

## 実を申しますと

「本当のことを言うと、このような事情があったのです」と打ち明ける表現。事情を明かすことによって、相手の理解を得ようとするときにも使えます。

✉ 実を申しますと、決定していたデザイナーが急病になってしまいましたので、デザイン案は私どものほうで仕上げました。

## 判明いたしました。

トラブルやミスの原因・理由を客観的に伝える表現。「判明」は、調査などによって事実が明らかになったさいに使われる言葉なので、客観的な印象を与えることができます。ただし、原因が明らかになったときにしか使えません。

✉ 今回の問題の原因として、システムに重大な欠陥があることが判明いたしました。

## やむなく〜に至った次第でございます。

トラブルやミスの原因・理由が自分（たち）のせいばかりでなく、ほかの要因の影響も受けている場合に使える表現です。「やむなく」は、しかたがないという意味で、自分（たち）の力ではどうすることもできなかったことを説明しています。

✉ イベント当日は雨天となったため、やむなく進行スケジュールを変更するに至った次第でございます。

# 受領・送付のフレーズ

「受けとりました」「送りました」メールを送るだけで、
相手の安心感やあなたへの信頼感がちがってきます。
さらに、送ってくれた相手への感謝や、
送ったものを検討してもらうようなお願いフレーズを
使いこなせるようになると、
よりコミュニケーションがスムーズになるでしょう。

# 受けとりました

## 1 受けとりました。

受領したことを伝える、もっともオーソドックスな表現。「確かに」「まちがいなく」などをつけると、相手に安心感を与えます。さらに丁寧なフレーズとしては、「お〜する」と「いたす」という2つの謙譲表現を加えた「お受けとりいたしました」という表現もあります。

✉ 契約書は、本日確かにお受けとりいたしました。

## 2 頂戴しました。

「頂戴」は「もらう」のへりくだった表現です。ただし、贈答品などを受けとったさいに使われるフレーズで、業務上の文書を受けとった場合などには使えません。

✉ このたびはけっこうなお品物を頂戴いたしまして、ありがとうございました。

## 3 拝受いたしました。

「拝受」は、「受けとる」のへりくだった表現（176ページ参照）。謹んで受けとるという意味です。文末で「まずは拝受のご連絡まで」と使う方法もあります。「受領いたしました」も同じく「受けとる」を丁寧にした表現として使えます。

✉ 会議資料、まちがいなく拝受いたしました。

覚えておきたい!

**●すぐに出したい「受けとりメール」**

なにかを受けとったときは、早めに「受けとりました」メールを出すようにしましょう。無事に届いたとわかれば相手は安心しますし、すばやいレスポンスはあなたへの信頼感アップにもつながります。

とはいえ、忙しいときや、結論が即座に出せない内容など、すぐに返信できないこともあるでしょう。そんなときは、たとえば以下のようなメールを送っておきましょう。

✉ メール、確かにお受けとりいたしました。この件については、×月×日までにお返事いたします。まずは受信のご報告のみで失礼します。

✉ ○○会議の資料をありがとうございました。これから内容を確認いたします。取り急ぎお知らせまで。

✉ 修正データ、拝受いたしました。こちらの要望通りに仕上げていただきまして、ありがとうございました。これから社内で検討いたしますので、決定次第、追ってご連絡いたします。

# 着きました

##  到着いたしました。

「受けとった」ことを伝える表現。「着きました」「届きました」よりも丁寧な表現です。ただし、やや事務的で敬意表現ではありませんので、贈り物をいただいたときなどには使えません。

✉ 先日の会議資料、到着いたしました。ご返却ありがとうございました。

## 着荷いたしました。

「ちゃっか」もしくは「ちゃくに」と読みます。これも「到着いたしました」と同様、贈り物に対しては使えません。「着荷」は「出荷」の対義語にあたります。

✉ 先日ご連絡いただきました通り、本日、備品（椅子10脚）は無事に着荷いたしました。

## 送りました

### ～をお送りいたしましたので、ご確認ください。

品物や資料などを送ったときに使う表現。あとで「送った」「いや届いていない」といった事態になるのを防ぐため、品物（資料）が届いたか、相手に確認することを求めています。

✉ 先ほど、弊社青木より資料PDFをお送りいたしました。ご確認いただけますでしょうか。

### ご査収ください。

「査収」とは、よく調べたうえで受けとること。相手に品物や資料、金銭などを送るときに使う表現です。「よろしく」をつけるとより丁寧な印象になります。

✉ 議事録を添付いたしましたので、よろしくご査収ください。

覚えておきたい！

**●「ご笑納ください」の使い方**

「笑納」とは「つまらないものですが、笑ってお納めください」という気持ちを込めている言葉。なにか送ったときに添える謙譲表現ですが、軽い表現なので、目上の人に使うのはなるべく控えましょう。相手をよく吟味してから使うことが大切です。

✉ コンペのさいの景品を郵送にてお送りしました。どうぞご笑納ください。

# もらってください

## 1 お受けとりください。

品物や書類などを受けとることを依頼する表現。送信したメールは自動的に「受けとられ」ますので、郵送したものを受けとるよう依頼したい場合に使いましょう。

✉ 本日、弊社の最新目録をお送りしましたので、よろしくお受けとりください。

## 2 お納めください。

「納める」とは、受けとること、受け入れることです。「よかったらもらってください」というニュアンスを込めたければ、「よろしければ、お納めください」とするとよいでしょう。

✉ 心ばかりの品を別便でお送りいたしましたので、どうぞお納めください。

## 3 謹呈いたします。

正式に「納める」という雰囲気にするときは、このフレーズを使いましょう。「謹んで差し上げる」という意味で、贈り物などを送った場合に使います。

✉ ○○イベント当日、抽選で5名の方に商品券1万円を謹呈いたします。

Column

## 「させていただきます」の使いすぎに注意

「～させていただく」は、へりくだる（自分を低める）表現です。このフレーズをつけると丁寧な言い回しになった気がするので、頻繁に使ってしまいがち。でも、適切な文脈、場面で使うことが必要です。

基本的に「～させていただく」が使えるのは、敬意を示す相手からの要望・指示があって、それを受け入れて行動する場合のみです。

〇資料を送らせていただきます。
〇ご招待させていただきます。

必要以上に「～させていただく」を使うのは、文法としては合っていても、敬語としてはNGなのです。

×営業を担当させていただいております、矢木です。
×明日は休業させていただきます。
×この方法で実施させていただきます。

上記のように、自分の都合を相手に押しつける「いただく」表現は、恩着せがましい、あるいは一方的な印象を与えてしまうため、使わないほうがよいでしょう。

# 送ったものを見てください

## 1 目を通してください。

社内の同僚や目下の人に、「見てください」と案内するときに使います。「目を通す」は敬意表現ではないので、目上の人には使えません。目下の人が提出した資料に対して、「目を通しておくね」と使う表現です。目上の人には「お目通しください」などを使います（次ページ「覚えておきたい！参照）。

✉ 明日の打ち合わせの資料を添付しますので、目を通しておいてください。

## 2 ご覧ください。

「見る」の尊敬語は「ご覧になる」です。「拝見する」は自分がへりくだる謙譲語なので、相手には使えません。上司や取引先に送った資料を見てほしいときは、「ご覧ください」「ご覧になってください」と表現するのが一般的です。

✉ カタログPDFを添付いたしましたので、ぜひご覧ください。

## 3 ご高覧ください。

「高覧」は、相手をさらに敬った表現です。同様のニュアンスで、「賢覧」も使えます。なお、「清覧」も同じ意味をもちますが、これは主に文書で使います。

✉ プレスリリースを以下のホームページにて発表しましたので、ぜひご高覧くださいませ。

## 「送ったものを見てください」フレーズ

**➡チェックしてください。(社内の先輩・上司に)**

● ご確認をお願いいたします。

● ご確認のうえ、ご意見・ご指摘をいただけないでしょうか。

**➡見てくれたらうれしいです。**

● 添付の資料をご参照いただけましたら幸いです。

● ご一読いただければ幸いです。

**➡見たうえで、〜をお願いします。**

● ご高覧のうえ、ご検討いただけましたら幸いです。

● ご高覧のうえ、月末の全体会議でご周知いただけましたら幸いです。

覚えておきたい!

**●「見てください」より「お目通しください」?**

文書などを送付するときに、「目を通す」はよく使われます。「目を通す」とは、はじめから終わりまで一通り見ることを意味します。「見てください」は単に見ることだけをお願いする印象であるのに対して、「お目通しください」は中身まできちんと見ることをお願いしています。

なお、「目を通してください」だけでは敬意は含まれないため、「お目を通してください」「お目通しください」「お目通し願います」などを使うとよいでしょう。

## 尊敬表現と謙譲表現の使い分け

敬語を使いこなすためには、「尊敬表現」と「謙譲表現」の区別が重要です。

**【尊敬表現】**

**自分には使えない＝主語が相手＝相手を敬う**

**【謙譲表現】**

**相手には使えない＝主語が自分＝自分を謙遜する**

たとえば、同じ「言う」という表現でも、主語がちがうと表現も変わります。具体的には、

- **部長がおっしゃったように** ←尊敬表現「おっしゃる」
- **私が申しましたように** ←謙譲表現「申す」

となります。

敬語のまちがいの多くは、尊敬表現と謙譲表現の混同によって起こると言っても過言ではありません。

**✕添付書類をご拝読いただけますか。**

「拝読」は謙譲表現です。主語は相手ですから、「添付資料をご覧いただけますか」が正解です。

**✕A案とB案、どちらにいたしますか。**

「～する」の尊敬表現は「なさる」、「いたす」は謙譲表現です。例文の場合も主語は相手ですから、「どちらになさいますか」が正解です。

# 8

# お願いのフレーズ

依頼するときには、内容を的確に伝えることはもちろん、
どのような表現を使えば相手が動いてくれるかを
考える必要があります。
実績や信頼がない若いうちは特に、
相手を動かすことは難しいでしょう。
本章では、そのようなときに使えるフレーズを紹介します。

# お願いします

## 1 お願いいたします。

同僚か目下の人にお願いするときに使う、簡単なフレーズです。また、相手にもメリットがある依頼をする場合には、社外の人にも使えます。相手にもメリットがあるなら、あまりへりくだらないほうが対等な関係を築けるでしょう。

✉ 100個追加で注文いたしますので、見積書の送付をお願いいたします。

## 2 お願いできないでしょうか。

「～してください」は命令形なので、強制する印象があります。そこで、「～でしょうか（疑問文）」にして相手に諾否の余地を与えると、より丁寧な表現になります。さらに、「～ないでしょうか（否定疑問文）」で相手が断ることを前提にする、よりソフトな言い回しもあります。

✉ 恐縮ではございますが、打ち合わせ時間の変更をお願いできないでしょうか。

## 3 お願いできれば幸いです。

「～していただけたら幸いです」という表現は、相手の受諾をあくまでも仮定していることになります。押しつけがましくなく、相手にとっても断りやすいので、丁寧な表現になります。

✉ 突然のお願いでまことに恐れ入りますが、一度、ご面談の機会をいただければ幸いです。

## 情熱が伝わる「お願い」フレーズ

### ➡絶対あなたにお願いしたい!

- 経済学について造詣（ぞうけい）が深い黒木先生に、当校の講習会での講話を賜りたいと存じます。
- 現在、多数のメディアでご活躍中の黒木様のお話をうかがう機会をいただきたく、謹んでお願い申し上げる次第です。
- 黒木様のご講話にはとても感動しました。弊社でもぜひご指導いただきたいと考えております。
- 本テーマにつきまして、黒木様以上に通暁（つうぎょう）されている方はほかにいらっしゃらないと存じます。つきましてはぜひ、黒木様にご講演いただきたいと考えております。
- 他におすがりする方がなく、途方に暮れるばかりです。ご迷惑とは存じますが、なにとぞよろしくお願い申し上げます。

**覚えておきたい!**

**●「お願い」フレーズをさらに丁寧に**

付き合いのあまりない相手にお願いする場合は、「～いただきたく」「～のほど」「～賜りたく」「～くださいますよう」「～いただきますよう」などを使うようにしましょう。さらに丁寧なお願い表現となります。

✉ご多忙とは存じますが、ご返信いただきたく、切にお願い申し上げます。

# 悪いけど、お願いします

## 1 お忙しいところ恐縮ですが

相手の状況を思いやるクッション言葉です。ほかに「なにかとご多用とは存じますが」「ご多忙のところ大変恐縮ですが」などの表現も使えます。「恐縮」とは身が縮むほど恐れ入ってしまうという意味で、相手に負担をかけて申し訳ない気持ちを表しています。

✉ お忙しいところ恐縮ですが、前向きにご検討いただけましたら幸いです。

## 2 ぶしつけなお願いで恐縮ですが

切迫した状況で、なんとかしてほしいときに使うクッション言葉です。それほど親しくない人や目上の人に対してなにかを依頼するとき、無理な依頼をするときに使います。失礼を十分承知しているのですが…とアピールする表現です。

✉ ぶしつけなお願いで恐縮ですが、5分だけでもお話をうかがえないでしょうか。

## 3 まことに厚かましいお願いとは存じますが

「厚かましい」とは「恥を知らない」「ずうずうしい」という意味。「ずうずうしいことは十分にわかっていますが、そこをなんとか」という低姿勢な依頼表現です。相手には受け入れがたいとわかっていても、あえて依頼する必要のあるときに使います。

✉ まことに厚かましいお願いで失礼かと存じますが、期日を延ばしていただきたくお願い申し上げます。

## お願い前の「クッション」フレーズ

**➡急なお願いでごめんね。**

- 唐突なお願いで恐縮なのですが
- 突然このようなお願いを申し上げて、大変恐縮です。

**➡本当はお願いしにくいことなんだけど……**

- 黒木様にこのようなお願いをするのは忍びないことですが
- まことに申しかねますが
- 身勝手きわまるご依頼とは存じますが
- ご迷惑をおかけするのは心苦しいかぎりですが

覚えておきたい!

**●気をつけたい「申し上げます」の連発**

お願いメールでは、「申し上げます」を何度も使ってしまいがちです。これでは機械的な印象になり、メール全体のイメージも悪くなってしまいます。

「申し上げます」の代わりに、「存じます」「存じ上げます」「いたします」「ございます」などが使えますので、これらをうまく活用し、同じフレーズの乱用を避けましょう。

# わかってください

## 1 事情をお察しいただき

やむにやまれぬ事情に対する理解を求める表現。「お察しいただき」は「ご賢察いただき」と置き換えることができます。「賢察」とは、「推察する」「推し量る」の尊敬語。事情を推察し、ご理解くださいとお願いする表現です。

✉ 事情をご賢察いただき、ご協力いただけないでしょうか。

## 2 どうか事情をお汲みとりいただき

本来は公にできない事情を打ち明けてまで、ぜひともお願いしたいという気持ちを表します。お願いメール以外に、お断りのメールでも「なにとぞ事情をお汲みとりいただき、ご容赦いただけないでしょうか」などのように使えます。

✉ どうか事情をお汲みとりいただき、ご検討くださいますようお願い申し上げます。

## 3 なにとぞ窮状をお察しいただき

「窮状」とは、貧困などで困り果てている状態のことをさします。したがって、「窮状をお察しいただき」という表現には、「お金の面で苦しいことをわかってください」というニュアンスが含まれることが多いようです。

✉ なにとぞ窮状をお察しいただき、ご承諾くださいますよう伏してお願い申し上げます。

## いろいろな「お願い」フレーズ

**➡弊社まで来てください。**

- お越しいただけましたら幸いです。
- 弊社の会議室を押さえましたので、そちらでよろしいでしょうか。

**➡会ってください。**

- お時間をいただけないでしょうか。
- 直接お話をうかがう機会をいただけましたら幸いです。

**➡待ってください。**

- もう少々お時間をいただけないでしょうか。
- こちらの都合で大変恐縮ですが、○日までに確認しまして、改めてご連絡いたします。

**覚えておきたい!**

**●「〜してください」という命令表現は、避けよう**

「〜してください」は命令形なので、自分からなにかをお願いするフレーズでは使わないほうがよいでしょう。

✕ご連絡ください

○ご連絡いただけましたら幸いです／ご連絡お待ちしております／ご連絡いただけませんか　など

# 連絡してください →P188もチェック

## 1 ご連絡をお待ちしております。

返信がほしいときの、一番オーソドックスな表現です。より親しい人には、「ご連絡いただけるとうれしいです」などのフレーズでもよいでしょう。

✉ お忙しいところ恐縮ですが、ご連絡を心からお待ちしております。

## 2 ご一報いただけないでしょうか。

「一報」は、簡単に知らせるという意味をもちます。複雑な内容には向きませんが、「気軽に連絡してほしい」という意味で、相手の対応を促すときによく使います。

✉ 業務の進捗状況について、ご一報だけでもいただけないでしょうか。

覚えておきたい!

### ●「折り返し」に注意

「折り返し」という言い方は、自分からすぐに返事をするつもりのときに使います。「折り返しご連絡いたします」が正しい使い方です。「折り返しご連絡ください」のように、「折り返し」という言葉を相手に使うと、「すぐに連絡しろ」という意味になりますから、使うのは控えたほうがよいでしょう。

　返信を求める場合は、あくまで問い詰める印象にならないよう注意してください。

## 教えてください →P47もチェック

### 1 質問があります。

基本的に自分の動作や持ちものには「お」や「ご」をつけません（98ページ参照）。「質問があります」というフレーズでは、自分が主語になるので、「ご質問」としないように注意しましょう。もう少し丁寧な表現にしたいなら、「質問がございます」「質問いたします」などを使います。

✉ 先日の件で、2点質問がございます。

### 2 おうかがいしたいのですが

「お尋ねする」でもいいのですが、相手を尋問するような印象になってしまう可能性もあります。「うかがう」は謙譲語なので、相手を高めてソフトな印象になります。

✉ 先日ご送付いただいた資料について、1点おうかがいしたいのですが、よろしいでしょうか。

### 3 お知恵を拝借したいのですが

目上の人に相談をもちかけたり、質問したりするときに使うフレーズ。「拝借」は借りることをへりくだって表現しています（176ページ参照）。「知恵を拝借したい」という表現からは、「あなたの豊かな知識でぜひご教示願いたい」という姿勢がうかがえます。

✉ 来週のプレゼンの件でお知恵を拝借したいのですが、お時間をいただけないでしょうか。

## メールで使える尊敬表現①
## 言い換え型

失礼にならないビジネスメールを書くためには、尊敬表現（主語を高める表現）をマスターする必要があります。ここでは尊敬表現の基本形を大きく３つに分けて紹介します。

①言い換え型（元の言葉とはちがう言葉を用いる）
②つけたし型（尊敬表現を動詞に加える）
③名詞型（尊敬表現を名詞につける）

本コラムではまず、①言い換え型をマスターしましょう。元の言葉とはちがう形になるのが「言い換え型」です。これは特定の言葉だけなので、覚えてしまいましょう。

| 動詞 | 対応する特定の尊敬表現 |
|---|---|
| する | なさる |
| くれる | くださる |
| 言う | おっしゃる |
| いる | いらっしゃる、おいでになる |
| 行く・来る | お越しになる、いらっしゃる、おいでになる |
| 見る | ご覧になる |
| 食べる・飲む | 召し上がる |
| 知る | ご存じ |

➡尊敬表現②つけたし型は134ページへ
➡尊敬表現③名詞型は148ページへ

9

# 催促のフレーズ

「早くしてください」「対応してください」など、
ビジネスでは催促しなくてはいけない場面が必ずあります。
しかし、顔が見えないメールでのやりとりではたった一言で
相手との関係に亀裂が入ってしまう恐れも……。
本章では、「きちんと伝わるけれど相手に失礼にならない」
催促フレーズを紹介します。

# いま、どんな状況ですか

## 1 どのようになっているでしょうか。

相手の状況に探りを入れることで、遠回しに催促する表現。催促はしているのですが、形のうえでは状況を尋ねているだけなので、相手にきつい印象を与えません。

✉ お願いしました資料の送付の件は、現在どのようになっているでしょうか。

## 2 いかがなりましたでしょうか。

「どのように」を「いかが」に換えると、よりソフトに、より丁寧な表現になります。ただし、あまりにも遠回しすぎて、純粋に状況を尋ねているだけだと受けとられる可能性もあるので、具体的に聞きたいことを明記するとよいでしょう。

✉ 昨日までにとお願いしておりました資料作成の件、いかがなりましたでしょうか。

## 3 ～についてご確認いただけますでしょうか。

かなり婉曲的な表現です。「～」には具体的になにを確認してほしいのかを書きます。もしかしたら約束を忘れているかもしれない相手に、丁寧に注意を促します。

✉ なにかの手違いかとも存じますが、スケジュールについていま一度ご確認いただけましたら幸いです。

## 遠回しの「催促」フレーズ

### ➡現状を教えてください。

● お約束の期日が過ぎておりますが、状況をお聞かせいただければ幸いです。

● ご事情があるかと存じますが、まずは現状をお知らせいただけると幸いです。

● その後のご返信をいただけず、いかがされたかと案じております。まずはご連絡いただけないでしょうか。

● ご事情についてご回答いただきますよう、よろしくお願い申し上げます。

### ➡確認できていませんが。

● 本日×月×日になってもいまだ商品の到着を確認できておりません。

● お約束の期日を過ぎておりますが、いまだにお願いした商品の納入が確認できません。お手数ではございますが、いま一度のご確認をお願い申し上げます。

● 期日を過ぎましたが、いまだにご入金を確認できておりません。入金予定日をお知らせいただけないでしょうか。

# 困っています

## 1 とても困っています。

こちらが困っていることをストレートに伝えることで、相手に対処を求める表現です。相手を責めるニュアンスではないため、角が立たないように催促したいときなどに使えます。

✉ 弊社といたしましては、関係各社とのスケジュール調整もできず、とても困っています。

## 2 大変困惑しております。

「困っている」よりも、漢字2文字の「困惑」を使ったほうが差し迫った雰囲気を伝えられます。「困惑」はどうしたらよいかわからず、迷うという意味です。「大変」という言葉をつけ加えると、さらに切迫した印象を与えます。

✉ 重ねてのお願いにも応じていただけず、当社としても大変困惑しております。

## 3 どうしたものかと苦慮しております。

「苦慮する」とは、苦労していろいろ考えるということ。「困っている」のが強調される表現です。約束が果たされないので、こちらが対応に苦労していることを伝えるときに使います。

✉ 弊社といたしましては、今後の見通しが立たず、どうしたものかと苦慮しております。

覚えておきたい!

● **状況を伝えて相手を動かす**

約束の期日を守らない相手を動かしたい場合は、自分のみならず、どれだけ多くの人が困っているかを伝えると効果的です。

✉ 上司の○○もスケジュールを確保してお待ちしているため、大変困惑しております。

✉ すでに大幅に日時を経過しております。○○部一同、心待ちにしておりますので、なにとぞよろしくお願いいたします。

✉ 御社からのご連絡をいただけないため、プロジェクトメンバー各々の仕事にも支障をきたしております。

# 対応してください

## 1 すぐにご連絡ください。

対等な立場の相手に、早急な対応を求める表現です。「ご連絡」ではなく、「お電話ください」「メールにてご連絡ください」などと、具体的な連絡手段を提示するのもよいでしょう。

✉ はなはだ迷惑をこうむっております。すぐにお電話にてご連絡ください。

## 2 至急ご連絡をお願いいたします。

「すぐに」よりも「至急」のほうが、相手には強いプレッシャーを与えます。重大な遅れがあったときなど、相手に強く催促したいときに使うとよいでしょう。

✉ すでに大幅に日時を経過しております。至急ご連絡をお願いいたします。

## 3 誠意ある対応をしていただきますよう、お願い申し上げます。

「誠意ある」と言うことで、現在の不誠実な状況を強く非難しているフレーズです。一見、やわらかい印象ですが、実は大変強い抗議になりますので、使う相手や場面を選びましょう。

✉ ご繁忙のためと拝察いたしますが、誠意ある対応をしていただきますよう、お願い申し上げます。

## 「対応してください」フレーズ

**➡すぐに折り返し連絡してください。**

- 本メールご確認後、速やかにご連絡くださいますよう、お願い申し上げます。
- ご回答を賜りたく、お願い申し上げます。

※「折り返し」の使い方については124ページ参照

**➡新しく期日を決めるので、それまでに対応してください。**

- 何日頃のご回答となりますか、早急にご連絡いただきますようお願いします。
- 改めて７月１日午前８時必着で、ぜひご手配くださるようお願いいたします。

**➡行き違いになってしまったら、ごめんなさい。**

- 本メールと行き違いですでにご送付いただいておりましたら、ご容赦ください。

## メールで使える尊敬表現②つけたし型

126ページに続き、尊敬表現3つの型のうち、**②つけたし型**について解説します。

動詞（尊敬したい相手の動作）に尊敬表現となるパーツを加える「つけたし型」は、以下の2つが基本です。

**A.「お（ご）～になる」**

例）お書きになる、お話しになる、ご利用になる

**B.「～れる」「～られる」**

例）書かれる、話される、利用される、出発される

特に、B「～れる」「～られる」は簡単に尊敬表現になるので便利ですが、使うさいは注意が必要です。なぜなら「～れる」「～られる」には尊敬の意味だけではなく、「～できる（可能）」「～される（受け身）」の意味もあるからです。さらに「見れる」「来れる」などのいわゆるラ抜き言葉にしてしまう人も多くいます。

できるだけ「～れる」「～られる」の使用は避け、ほかの尊敬表現を使うようにしましょう。

○「明日はおひとりでいらっしゃいますか？」←①言い換え型

△「明日はおひとりで来られますか？」←②つけたし型

➡尊敬表現①言い換え型は126ページへ
➡尊敬表現③名詞型は148ページへ

# 10

# 抗議のフレーズ

「お願い」しても「催促」しても動いてくれない相手には、
「抗議」をする必要があります。
しかし、いくら相手に非があっても、
ビジネスマナーに則って抗議しなければなりません。
相手を確実に動かすフレーズを本章で学び、
きちんと抗議するビジネスメールを作成しましょう。

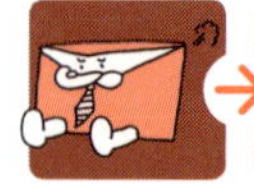

# 困っているので、善処してください

## 1 はなはだ迷惑をこうむっています。

「あなたのせいで迷惑しています」と自分の困惑を伝えることで、相手が改善・善処してくれることを期待する言い回しです。「はなはだ」が使いにくければ、「とても」を使ってもよいでしょう。ただし、ストレートな表現になるので、相手や状況を選んで使いましょう。

✉ たびたびの納期遅延には、とても迷惑をこうむっております。

## 2 はなはだ遺憾に存じます。

「遺憾」とは残念に思うことをさします。当然の対応がなされていないことについて、相手への失望を伝え、それによって相手が善処することを望んでいます。「残念でなりません」などとしてもよいでしょう。

✉ 期日を一週間過ぎた本日までご回答もなく、はなはだ遺憾に存じます。

## 3 ご配慮ください。

あれこれと気を配ってほしいときに使う表現です。相手にもっと心を配るように要求し、事態の改善をめざしたいときに使います。さらに丁寧な表現としては、「ご配慮いただければ幸いです」「ご配慮願います」などがあります。相手のはらってくれる「配慮」を敬う言葉には、「高配」があります。

✉ このような状況ですので、なにとぞご配慮をお願いします。

## 注意を促す「抗議します」フレーズ

**➡先に言っておきますが。**

- 期日までにご入金いただけない場合は、なんらかの措置をとらざるを得ませんので、念のため、申し添えておきます。
- ご連絡いただけない場合は、貸出を停止せざるを得ませんので、ご承知おきください。

**➡あなたのせいで、こんな状況になっています。**

- 当社の信用にもかかわる事態となっています。
- 販売所など、各方面から苦情が入っております。
- 納期が遅れたために、すでに工場のラインをストップさせるなど、貴社だけの問題ではすまなくなりつつあります。

**➡とにかく早く改善してください。**

- 早急に善処していただくようお願い申し上げます。
- 早急に事態を改善していただきますようお願い申し上げます。
- しかるべき対処を速やかにお願い申し上げます。

# 訴えますよ

## 1 なんらかの措置をとりたいと思います。

「今後も改善されないなら、大変なことになりますよ」と警告する表現。「なんらかの」と具体的な対応を示さないことで、「まだ措置をとるとは決めていない」とにおわせています。「措置」は、問題を解決するための手続きのことです。

✉ 今後の推移次第では、なんらかの措置をとらざるを得ないと存じます。

## 2 しかるべき処置をとらせていただきます。

「しかるべき」とはきちんとした・適したということ。また、「とらせていただきます」「とる所存です」などの断定の表現を使うと、相手に詰め寄ることができます。ただし、軽々しくは使えませんので、慎重に検討してから用いましょう。

✉ 最悪の場合は、しかるべき対応策をとらせていただきます。

## 3 御社との取り引きを停止せざるを得ません。

ビジネスでの取引停止はもっとも重い措置です。その措置を全面に出して通告することは、大変強い抗議になります。もう少しやわらかい表現として、「取引停止も選択肢に入れざるを得ません」というフレーズも使えます。

✉ 本意ではありませんが、御社との取り引きを停止せざるを得ません。

## もっとも厳しい「抗議します」フレーズ

**➡最悪の場合は○○になってしまいます。**

● 万が一、期日までにご連絡のない場合は、法律上の手続きをとらせていただきます。

● 最悪の場合、御社の社会的信頼を傷つけることにもなりかねません。

**➡説明してください。**

● どういう事情でこのような事態になったのか、納得できるご説明をお願いいたします。

● 誠意あるご回答をお待ち申し上げる次第です。

● 責任あるご回答をお願い申し上げます。

# 今後は注意してください

## 1 今後はくれぐれもご注意ください。

明らかに相手の過ちが原因で、今後同じことが起こらないようにお願いしたい場合に使える表現。「二度とこのようなことが起こらないようお願いいたします」「厳にご注意いただきたく、お願い申し上げます」「十分な注意を喚起する次第です」なども使えます。

✉ 二度とこのようなことが起こらないよう、くれぐれもご注意ください。

## 2 早急な措置を講じていただきますよう、お願い申し上げます。

同じ過ちを起こさないように措置を講じてもらうことは、お互いにとってメリットになります。相手への催促・抗議だけを目的とするのではなく、より大きな心で相手に反省を促したいものです。

✉ 今後は早急な措置を講じていただきますよう、お願い申し上げる次第です。

**覚えておきたい!**

**●抗議メールは理路整然と**

抗議メールでは、つい怒りの感情を込めた表現を使ってしまいがち。しかし、感情がむき出しのメールは、今後の関係に悪影響を及ぼす恐れもあります。

まずは相手に動いてもらうことが最優先です。どうすれば間に合うのか、必要なことはなにかなど、具体的な事実、数字、証拠などを織り込みながら、理路整然としたメールにしましょう。

# お断りのフレーズ

友達なら、「無理」「NG」で伝わりますが、
ビジネスではそうもいきません。
断る意志をはっきり伝えつつ、
角が立たないフレーズを選んで使いこなしていきましょう。
本章ではお断りフレーズのバリエーションを
ご紹介します。

# 遠慮しておきます

## 1 辞退します。

明確に断ることを伝える表現。ほかに「ご勘弁願います」なども使えます。飾り気のないフレーズなので、「まことに申し訳ありませんが」「残念ですが」など、クッションとなるような謝罪する一言を加えるとよいでしょう。

✉ まことに申し訳ありませんが、今回は辞退いたします。

## 2 ご遠慮申し上げます。

明確に断りつつも、丁寧なフレーズです。ただ、やはり角が立つこともあるので、相手に配慮する一言を添えましょう。「ご遠慮させていただきます」などのように、丁寧にしたいあまり、過剰敬語にならないよう注意しましょう。

✉ けっこうなお話ではありますが、ご遠慮申し上げます。

## 3 お気持ちだけ頂戴します。

相手の気持ちを汲んだうえで、やんわり断るときのフレーズ。ちなみに、なにかを送る・話をもちかける側から、「気持ちだけでも受けとってください」と言うのはおかしいので気をつけましょう。

✉ せっかくのお申し出ですが、お気持ちだけありがたく頂戴いたします。

## お断りします

### 1 お受けすることはできません。

この場合の「受ける」は、相手の気持ちや意見を受け入れることです。「できません」はきつい印象になるので、相手や場面を見極めて使いましょう。

✉ 当社の規定で、贈答品はお受けすることはできません。

### 2 お受けいたしかねます。

「受けられない」という、断りの意志を伝える婉曲な表現。「～しかねる」は、「できない」をソフトにした表現で、実質的には「できません」と言っているのと同じです。できないのは自分の本意ではないという一種の言い訳にもなります。

✉ お受けいたしかねますが、担当には伝えておきます。

### 3 ご要望に沿いかねます。

相手の要望を断る場合に使うフレーズ。「沿う」は、目的などにかなうようにすること。単独でこのフレーズを使うと、「邪険に扱われた」と受けとられる可能性があります。十分に考慮したことを伝える一言などを添えるとよいでしょう。

✉ 慎重に検討させていただきましたが、今回は予算の都合上、ご要望には沿いかねます。あしからずご了承ください。

# 難しいと思います

## 1 難しい状況です。

できないことを婉曲に伝えるフレーズ。完全には否定していませんが、厳しい状況であることを伝えています。実質的にできないと断っているのですが、それでもストレートに書かないことが、ビジネス上のマナーです。「相当に困難です」などの表現も使えます。

✉ あいにくほかに予定が入っており、日程調整が難しい状況です。

## 2 私の一存では決めかねます。

「できません」と断定すると、相手との間に溝が生まれてしまいそうな場合は、「できそうにありません」や「私の一存では決めかねます」など、自分以外の存在をにおわせるフレーズを使います。

✉ ありがたいお話ですが、私の一存では決めかねます。

## 3 お断りせざるを得ない状況です。

「やむを得ずお断りする」という意味です。自分としては対応したいけれど、それがかなわない残念な気持ちを表します。使うさいは、「せざる得ない」「せざるお得ない」などとまちがえないよう注意しましょう。

✉ 今回は残念ながら条件が合いませんので、お断りせざるを得ない状況です。

## 申し訳ないと伝える「お断り」フレーズ

**➡私は承諾したかったのですが**

- 不本意ながら、今回は見送らせていただきます。お力になれず申し訳ありません。
- お役に立ちたいところですが、私では力不足かと存じます。ご協力できず申し訳ございません。
- まことに心苦しいのですが、お手伝いすることは難しい状況です。
- お役に立てなくて、申し訳ございません。

**➡よく考えたのですが**

- よく考えさせていただきましたが、今回はご遠慮申し上げることになりました。
- 熟考に熟考を重ねたのですが、ご提案の件をお引き受けすることは難しい状況です。

※「わかってください」フレーズは122ページ参照

# 認められません

## 1 認められません。

「認める」は、差し支えないと許可すること。「認められません」は、はっきりと「許可できない」ことを伝えています。相手との関係に配慮して、クッション言葉などを入れて、少しソフトにするとよいでしょう。

✉ 納期の延長は、まことに申し訳ありませんが認められません。

## 2 納得できません。

相手からの一方的な連絡や報告に抗議するときなどに使います。「納得」は、理解して承知することです。「とうてい」をつけると、さらに強く抗議する表現となります。

✉ ×月×日に発注を受けた○○商品の開発を、今になって見合わせるというのは納得できません。

## 3 承服いたしかねます。

きっぱりと相手に従うことはできませんと伝える表現です。承服は、相手の言うことを承知して、それに従うという意味。ほとんどの場合、「承服」が使われますが、「承伏」とも書きます。「服」と「伏」は同じ意味で、「恐れ従うこと」を意味します。

✉ 今になってキャンセルというのは、承服いたしかねます。

## お断りしてすみません

### 1 せっかくですが

「せっかく」という言葉で、「ありがたい」という感謝を伝え、同時にそれを断る残念さをにじませています。「せっかくですが」は簡単な表現なので、お詫びするフレーズと組み合わせて使うとよいでしょう。

✉ せっかくですが、今回は都合がつかずに申し訳ございません。

### 2 あいにく

「あいにく」は、遺憾の意を示しながら、相手の意に沿えないことをやんわりと伝える表現です。しかし、自分に非がない謝罪のときにしか使えません。たとえば、「あいにくですが、お約束の期限に間に合いそうにありません」と伝えたら、相手の怒りに火を注いでしまうでしょう。

✉ あいにくすでに予定が入っており、参加できそうにありません。

### 3 願ってもない機会ですが

「願ってもない機会」というフレーズによって、自分にとっても貴重でありがたいチャンスを無にしてしまうことが残念だという気持ちを伝えています。

✉ 願ってもない機会ですが、ご一緒するのは難しい状況です。

Column

## メールで使える尊敬表現③ 名詞型

126ページ、134ページに続き、尊敬表現3つの型のうち、③名詞型について解説します。

②つけたし型のAは、尊敬したい相手の動作（動詞）に「お（ご）～になる」をつけるものでした。

③名詞型では、「お名前」「ご住所」のように、名詞（相手のもの）に尊敬表現となる「お」「ご」をつけます。

（相手の）　お荷物／ご講演／ご記憶／ご注文
（相手からの）お招き／ご招待／お心遣い／ご厚意
（相手が乗る）お車

これまで、①言い換え型、②つけたし型、③名詞型の尊敬表現と、3つの型をご紹介してきました。

①言い換え型がある言葉は、その語を使うのがベストです。134ページでも触れましたが、①がもっとも敬意を伝えやすいためです。

尊敬表現と謙譲表現、さらには①～③までの型を、相手や状況を見極めて使い分けられるようになりましょう。

➡「お」と「ご」の上手な使い方については98ページへ
➡尊敬表現と謙譲表現の使い分けについては116ページへ
➡謙譲表現3つの型については160ページへ

# 12

# 了解のフレーズ

「OKです」は便利なフレーズですが、
ビジネスシーンでは軽すぎる印象を与えます。
しかし、このフレーズを言い換えることは
なかなか難しいもの。
「よろしいです」や「かまいません」では
上から目線のように受けとられる可能性も……。
本章ではそんな「OK」の言い換えフレーズを紹介します。

## OKです →P43もチェック

### 1 了解いたしました。

「了解」は「理解」という意味です。上司からの指示を、理解したことを伝えるときなどに使います。ただし、この「了解」という言葉は、相手への敬意表現にはなりません。ある程度親しい場合は外部の人に使うこともできますが、なるべく社内のみで使うようにしましょう。

✉ 日程変更の件、了解いたしました。

### 2 承知いたしました。

依頼を引き受けるときに使えるフレーズです。「はい、わかりました」よりも、相手に安心感・信頼感を与えられます。そのほか、「お引き受けいたしました」「かしこまりました」などの表現も使えます。

✉ 週明けまでに仕上げてご提出いただけるとのこと、承知いたしました。

### 3 確かに承りました。

「承（うけたまわ）る」は「引き受ける・承諾する」のへりくだった表現です。「承る」は「承知」「了解」などよりも、さらにかしこまった印象を与えます。また、「確かに」を付け加えると、頼もしい印象になります。

✉ ご注文は確かに承りました。ありがとうございました。

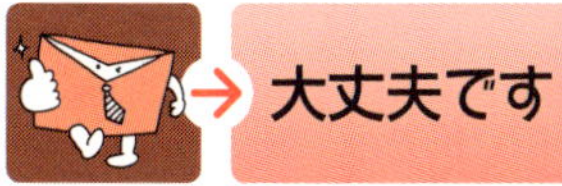

## 大丈夫です

### 1 大丈夫です。

「大丈夫」とは、危なげがないこと、まちがいなく確かなことです。ただし、「別に大丈夫です」という言い方は投げやりな印象を与えるので、よくありません。また「明日の予定は大丈夫でしょうか」などと使うと、「大丈夫」の本来の意味から外れてしまいます。この場合は、「明日の予定はよろしいですか」などとしましょう。

✉ 青木君なら、今回の仕事を任せても大丈夫でしょう。

### 2 問題ございません。

相手の提出書類にミスが認められないときなどに使われる表現。まったくノーミスであれば「まったく問題ありません」とします。実際には「ほぼ問題はないのですが、○行目のところだけご検討いただけないでしょうか」などと使われることが多いようです。とてもよくできていたり、ほぼ完璧であるなら、「問題ない」といった否定語を使った表現ではなく、「完璧です」くらいの言葉で応えたいものです。

✉ ○○資料は確認いたしました。これで問題ございません。

**覚えておきたい!**

**●「かまいません」と「結構です」**

「かまいません」は、目上の人には使えません。これは目下の人の行為を許可するときに使う言葉だからです。

また、「結構です」にはさまざまな意味があり、「必要ありません」といったお断りの意味にもなります。したがって、「大丈夫です」「OKです」と言いたいときに使うのは控えたほうがよいでしょう。

# 引き受けます

## 1 おやすいご用です。

引き受けるときに使う表現ですが、社内の同僚や親しい人にしか使えません。なお、この「おやすいご用」の「やすい」は「値段（価値）が安い」という意味ではありません。「易しいご用」、つまり「容易なご用」という意味です。漢字では「お安い御用」「お易い御用」のどちらも用いられます。

✉ 忘年会の余興の件、おやすいご用です。

## 2 お引き受けします。

先方からの申し入れを受け入れる一般的な表現です。「お受けします」よりも、「受けて責任を負う」というニュアンスが強くなります。そのため、なんらかの役割を担当するときによく使われます。

✉ 先日ご依頼いただいた件、お引き受けいたします。

## 3 お受けすることにいたします。

相手からの申し入れ・提案などを熟慮のうえ、引き受けるときに使う表現です。また、いったん断ったあとに考え直して引き受ける場合にも使います。「熟考を重ねた結果」などとつけたくなりますが、これはお断りフレーズとセットで使う場合が多いので、気をつけましょう。

✉ 上司とも相談し、今回はお受けすることにいたします。

## 「気持ちよく引き受ける」フレーズ

**➡私でよければ！**

- 私でよければ、いつでもお引き受けいたします。
- 私でお役に立てれば幸いです。
- 及ばずながら、お力になれればと存じます。

**➡あなたの頼みなら！**

- 白木先輩のお願いでしたら、いつでもおやすいご用です。
- 青木君のお願いなら、先輩として一肌脱ぎます。

# 喜んで！

## 1 喜んで〜させていただきます。

この場合の「喜んで」には、受諾が自分のためになることをアピールし、依頼した相手の気後れなどを軽減する効果もあります。「〜」には、「協力」「参加」「出席」などの言葉が入ります。

✉ ご依頼のお仕事の件、喜んで協力させていただきます。

## 2 お役に立てれば幸いです。

承諾に添える謙虚な表現です。似た表現として「お力になれれば」「私でよければ」「ご期待に沿うことができれば」「どこまでご期待に応えられるかわかりませんが」なども使えます。

✉ どこまでご期待に応えられるかわかりませんが、私でお役に立てれば幸いです。

## 3 微力ながら精一杯がんばりたいと思います。

「微力ながら」は自分の力をへりくだって表現した言い回しです。当然、「自分」が主語のときにしか使えません。「喜んで〜させていただきます」よりも謙虚で控えめな印象を与えます。就任のあいさつなどでは、「微力」に自分の才能をへりくだって言う「非才」を加えた、「微力非才」という表現が使われることも。

✉ 微力ながらできるかぎり努力いたします。

13

# 案内のフレーズ

ご案内するメールはいつも同じ文面になりがち。
しかし、社交辞令や定型の案内フレーズばかりでは、
相手を「ちょっと行ってみようかな」という
気持ちにさせるのは難しいでしょう。
本章では、礼儀正しく、
かつ相手を動かすフレーズを紹介します。

# お知らせです

## 1 お知らせいたします。

なにかを広く知らせるときの、もっとも簡単な表現。社内社外を問わず、開店、移転、異動のお知らせなど、オールラウンドに使えます。重要な結果やお知らせの場合は、より丁寧に「お知らせ申し上げます」としましょう。

✉ 現在の取得状況をお知らせいたします。

## 2 ご通知申し上げます。

「お知らせいたします」よりもさらに事務的な調子にしたい場合に使えます。「合格通知」など、結果や決定事項を伝えるときに使われることが多いようです。ほかにも、「ご案内申し上げます」などのフレーズがあります。

✉ 見事当選されましたことを、ご通知申し上げます。

## 3 ご案内かたがたお願い申し上げます。

「お願い申し上げます」で締めることにより、案内だけではなく、ぜひ参加・賛同してほしいという気持ちが強調されます。「かたがた」は、「あわせて」「かねて」の意味です。これを使うと、「ご案内とあわせて○○のお願いをします」という意味になります。

✉ ×月×日はぜひご出席賜りますよう、ご案内かたがたお願い申し上げます。

# 開催します

## 1 開きます（ので）。

会議・会合・催し物などを開催することを伝えるもっとも簡単な表現。比較的小規模な集まりを知らせる、社内メールなどに使われます。このほか「行います（ので）」も使えます。どちらも事務的な案内で、敬意は込められていません。

✉ このたび、ご退職される白木さんの送別会を開きますので、ぜひご出席ください。

## 2 開催いたします（ので）。

催し物などの開催を伝える、少し丁寧な表現です。このほか「実施いたします」という表現も使えます。大きめのイベントなどに使われることが多いようです。

✉ 年始恒例の賀詞交換会を開催いたしますので、お時間のある方はどうぞふるってご参加ください。

## 3 開催する運びとなりました（ので）。

「開催いたします」よりもかしこまった表現です。「運び」が使いにくければ、「開催することとなりました」としてもよいでしょう。そのほか「実施の運びとなりました」も同じニュアンスで使えます。

✉ 弊社の創立30周年記念式典を開催する運びとなりましたので、ここにご案内申し上げます。

# 参加してくださいね

## 1 ぜひご参加くださるよう

相手に出席をお願いするさいの定番表現です。「ぜひ」で出席してほしい気持ちを伝えています。

✉ ご多忙のことと存じますが、ぜひご参加くださるようご案内申し上げます。

## 2 ぜひお運びくださいますよう

「足を運ぶ」を「お運び」と丁寧に表現することで、相手の参加を促しています。「お運び」ではなく、「お越し」を使ってもよいでしょう。「お越し」は「来る」の尊敬表現です。

✉ 皆様お誘い合わせのうえ、ぜひお運びくださいますようお願い申し上げます。

## 3 ご臨席賜りますよう

「臨席」は「出席」と同じ意味ですが、これに「賜る」をつけて、最大級の敬意を表しています。「来臨」「来駕」という言葉もありますが、正式な招待状などで使われる表現なので、メールではやや仰々しい印象になります。

✉ 当日は営業成績優秀者の表彰式などもございますので、ぜひご臨席賜りますようお願い申し上げます。

## 参加を呼びかける「案内」フレーズ

**➡参加してね。**

- どうぞお気軽にお越しください。
- もしもご興味がおありでしたら、遊びに来てください。
- ふるってご参加ください。
- 黒木様のご参加を心よりお待ち申し上げております。
- ご予定もおありかと存じますが、ぜひお越しください。

**➡なるべくたくさんの人に参加してほしいです。**

- なにとぞふるってご参加くださいますよう、ご案内申し上げます。
- 皆様おそろいでご参加ください。
- 皆様お誘い合わせのうえ、ご来場ください。
- 皆様のお越しを、心からお待ち申し上げます。

**➡参加しないと損ですよ。**

- この機会をお見逃しのないよう、お願いいたします。
- 実際の声を聞けるまたとないチャンスかと存じますので、ぜひお運びくださいませ。
- 当日は抽選会なども予定しておりますので、ぜひお越しください。

## メールで使える謙譲表現①
## 言い換え型

本コラムからは、謙譲表現（自分を低める表現）を３つの型に分けて解説します。

①言い換え型（元の言葉とはちがう言葉を用いる）

②つけたし型（謙譲表現を動詞に加える）

③名詞型（謙譲の意味をもつ漢字をつけて名詞化する）

謙譲表現の**①言い換え型**には、以下があります。

| 動詞 | 対応する特定の謙譲表現 |
|---|---|
| する | いたす |
| もらう | いただく、頂戴する |
| 言う | 申す、申し上げる |
| いる | おる |
| 与える・やる | 差し上げる |
| 行く・来る | うかがう、参る |
| 会う | お目にかかる |
| 聞く | 承る、うかがう |
| 見る | 拝見する |
| 食べる・飲む | いただく、頂戴する |
| 知る | 存じ上げる、存じる |

➡謙譲表現②つけたし型は168ページへ
➡謙譲表現③名詞型は176ページへ

# 14

# お見舞いのフレーズ

災害や事故、病気やケガに遭った相手を気遣い、
元気づけるためのフレーズを紹介します。
お見舞いのフレーズは、
社交辞令のように響いてしまいがちなので、
相手や状況を見極めて使い分けましょう。
P84のコラムで説明した忌み言葉にも注意しましょう。

# お見舞い

## 1 お大事にどうぞ。

標準的なお見舞いフレーズです。なかには、目下の人からいたわられることを嫌う人もいますので、飾らないお見舞いフレーズのほうが、かえってよいときもあります。

✉ ご無理なさらず、お大事にどうぞ。

## 2 くれぐれもお大事になさってください。

季節の変わり目や、暑さ寒さの厳しいときに使える表現。身体の弱い人や高齢者、病み上がりの人に対しては特に忘れずに使いたいものです。ほかに、「おいといください」「ご静養のほど念じております」「ご自愛のほどお祈り申し上げます」などのバリエーションもあります。

✉ まだまだ寒い日が続きます。くれぐれもお大事になさってください。

## 3 心よりお見舞い申し上げます。

お見舞いの決まり文句なので、使うさいには機械的にならないように注意しましょう。「心より」は「謹んで」などに言い換えると、より丁寧な印象になります。「見舞い」は病気やケガ以外にも、「暑中見舞い」「寒中見舞い」のように暑さ寒さが厳しいときにも使われます(167ページ参照)。

✉ 大きなおケガをされたとのこと、謹んでお見舞い申し上げます。

覚えておきたい!

●「おいといください」ってどんな意味？

まったく聞き慣れない人は、「いとうというのは、厭うなの？　嫌ってくださいということ？」と勘違いされるかもしれません。

この「いとう」は確かに「厭う」ですが、「大事にする」「かばう」「いたわる」というような意味があります。この意味で使う場合は、ひらがなで書くのが一般的です。

✉ 暑さ厳しき折り、くれぐれもお身体をおいといください。

# 調子はどうですか

## 1 おかげんはいかがですか。

病気見舞い・ケガ見舞いだけでなく、身体の弱い人や高齢者への様子うかがいにも使えます。ただし、あまり詳しい病状を聞く表現は、詮索するように響くこともありますから、使い方に気をつけましょう。

✉ 体調不良にて休暇をとられているとのことですが、その後おかげんはいかがでしょうか。

## 2 ～とのことで、大変心配しております。

このほか「案じております」も使えます。「案じる」は心配しているという意味で、相手の状況うかがいとお見舞いを兼ねて使う表現です。「～とのことで」は、相手の状況がはっきりとはわからないときによく使われます。

✉ 通勤途中に事故に遭われたとのことで、大変心配しております。

## 3 ～はいかがかとご案じ申し上げております。

ちょっと調子をくずした風邪程度から、入院の必要な病気やケガ、災害のお見舞いなど、幅広く使えるフレーズです。「～はいかがか」には、相手の状況を問い合わせる意味もあります。

✉ 皆様のご様子はいかがかとご案じ申し上げております。

## 大変ですね

### 1 大変驚いております。

相手の不幸を聞いた驚きを率直に表現しています。「信じられない」という気持ちを伝えます。

✉ 事故の知らせが入り、大変驚いております。

### 2 ご心痛のほどお察しいたします。

「心痛」は、深く心を痛める・心配すること。心が痛むほど相手を心配し、他人事とは思えないという気持ちを伝えます。もっとストレートに同情の気持ちを表す、「ご同情に堪えません」というフレーズも使えます。

✉ 被災地にご縁のある皆様のご心痛のほど、お察し申し上げます。

### 3 突然のことに言葉もありません。

どのように言ったらよいのか言葉が見つからないという意味で、相手への深い同情の気持ちを表しています。このほか、「お慰めの言葉もございません」なども使えます。葬儀のさいのお悔やみ言葉として使われることが多いようです。

✉ 突然のことで言葉も見つかりません。心身共におつらいところ、お知らせいただき本当にありがとうございます。

# 早く元気になってください

## 1 一日も早いご回復をお祈り申し上げます。

お見舞いメールの文末に使いやすいフレーズです。ただ、相手がちょっとした風邪などの場合には、大げさな印象になってしまいますので、場面を見極めて使いましょう。

✉ 一日も早いご回復を心からお祈りしています。

## 2 このさい十分なご静養をなさるよう願っております。

入院して何日も会社を休むような場合には、あせる相手の気持ちを察して、このようなフレーズを使うとよいでしょう。相手の体をいたわり、ゆっくり休んでほしいと願う気持ちが伝わります。

✉ このさいですから、いままでお休みになれなかった分、十分なご静養をなさるよう願っております。

## 3 一日も早くお元気なお顔を拝見できますよう、お祈りいたします。

「安心して休んでください」と言われると、自分は必要とされていないのかと感じてしまう人もいるでしょう。そういう人には「一日も早く元気に」というフレーズを使います。

✉ 一日も早くお元気になられ、お顔を拝見できますよう、お祈りしております。

## シーン別「お見舞い」フレーズ

### ➡暑中・残暑見舞いフレーズ

- 暑中お見舞い申し上げます。暑い日が続いておりますので、どうかご自愛ください。
- 残暑お見舞い申し上げます。まだまだ暑い日が続きます。お体を大切にお過ごしください。

### ➡さりげない日常のお見舞いフレーズ

- お仕事、お忙しそうですね。体調などくずされていないでしょうか。
- いまはがんばりどきですね。白木さんなら必ず成し遂げられると信じています。
- 今回は災難でしたね。ご心労をお察しいたします。

## メールで使える謙譲表現②つけたし型

160ページに続き、謙譲表現3つの型のうち、**②つけたし型**について解説します。

基本的に、自分の動作には「お」や「ご」はつきません(98ページ)。しかし、例外的に自分の動作であっても、「お(ご)〜する」という謙譲表現をすることがあります。

**お知らせします（お知らせ申し上げます／お知らせいたします／お知らせ願います）**
**ご連絡します（ご連絡申し上げます／ご連絡いたします／ご連絡願います）**

「ご連絡します」は自分の動作ですね。主語がIかWeの動詞には「お」や「ご」はつかないのが基本ルールです。しかし謙譲表現の場合は、上記のように例外的につけることが可能なのです。

尊敬表現が主語を高めるのに対し、謙譲表現は主語を低める働きをします。自分（主語）を低めることで、間接的に相手を高めるのです。

➡謙譲表現①言い換え型は160ページへ
➡謙譲表現③名詞型は176ページへ

# 異動に関するフレーズ

異動のあいさつメールやそれに対する返信メールは、
顧客や取引先と関係を続けるための、
大切なお知らせです。
個性を出す必要はあまりありませんが、
通知すべき情報を正確かつ簡潔にまとめましょう。

# 異動しました

## 1 （○○へ）異動しました。

人事異動により、自分の所属に変更があったことを伝える表現です。社内の親しい人に、異動があったことを気軽に伝えるときに使います。ほかに、「○○部に移りました」なども使えます。

✉ 3月31日をもちまして、総務部に異動いたしました。

## 2 〜に配属されました。

「このたび」をつけて使うことが多い表現です。主に入社後、はじめて部署が決まったさいに使われることが多いようです。「配属」はそれぞれの部署に分けてつかせることをさします。

✉ このたび、営業部に配属されました矢木太郎と申します。

## 3 〜勤務となりました。

配属先の変更や、勤務地が変わるさいに使える表現。このほか、「赴任いたしました」「〜へ転出いたしました」「〜に転勤になりました」なども使えます。

✉ 4月1日付をもちまして、本部より名古屋支社に勤務することになりました。

## 「異動しました」フレーズ

**➡着任報告です。**

- ×月×日より東京勤務を命じられ、このたび着任いたしました。
- ×月×日をもって東京勤務を命じられ、同日赴任いたしました。

**➡新しい役に就きました。**

- 黒木氏の後任として、○○課長に就任いたしました。
- 不肖、私が○○の管理運営を担うことになりました。
- これまで研究会の発展にご尽力いただきました黒木先生の意向を受けまして、不肖ながら私が代表を仰せつかることになりました。

**覚えておきたい!**

**●異動前にあいさつに行けなかったとき**

引っ越しをともなう転勤の場合、いつ、どこに転勤になったかを簡潔に書き、新しい勤務地の連絡先も知らせましょう。

直接あいさつに行けなかった目上の相手にメールで知らせる場合は、以下のような一言を添えるとよいでしょう。

✉ 出発前にごあいさつにもおうかがいできず、申し訳ありません。
✉ 本来なら参上してごあいさつを申し上げるべきところ、メールでのご連絡となり大変恐縮でございます。

# 担当が交代しました

## 1 担当になりました。

丁寧に伝えたいあまり、「担当させていただくことになりました」としがちです。しかし、担当変更は相手の意志とは関係なく決まったのですから、「させていただく」と無理にへりくだらず、シンプルに伝えましょう。

✉ 後任としまして、私が9月1日より貴社の担当になりました。どうぞよろしくお願いいたします。

## 2 ○○の転勤にともない、後任として私○○が貴社を担当することになりました。

前任者の名前を出し、自分は誰の後任になるのかを簡潔に伝える表現です。多くの担当が出入りする場合、担当者の変更がよくある場合などに、相手が混乱しないよう使います。「後任として私こと○○が」としてもよいでしょう。

✉ 矢木太郎の異動にともない、後任として私が貴社を担当することになりました。

覚えておきたい!

**●担当者交代時に好感度がアップするフレーズ**

担当を離れることを伝えるさいは、後任者をさりげなく売り込むため、職歴、人物像などを簡単に紹介するとよいでしょう。

さらに、「貴社にご迷惑をおかけしないよう、万全の引き継ぎを行いました」ときちんと引き継いだことを伝えるフレーズを添えると、相手が安心します。

## 後任は○○です

### 1 後任として○○が担当することになりました。

異動にあたって、後任者を紹介するフレーズ。自分のことだけでなく、今後の会社同士の付き合いはどうなるのかもきちんと伝えましょう。

✉ 私の後任として、矢木太郎が担当することになりました。

### 2 後任として○○が〜することになりますので、よろしくお引き回しのほどお願い申し上げます。

特に頻繁に訪問する取引先に向けた、後任紹介のあいさつです。「お引き回し」は、「指導してください」という意味で使われます。

✉ 後任として、矢木太郎が御社におうかがいすることになりますので、よろしくお引き回しのほどお願い申し上げます。

### 3 ○○が代わってご用命を承りますので、どうぞよろしくお願いいたします。

「用命」とは、用を言いつけること。「今後は○○が御社のご用を承ります」と伝える表現です。これも、よく訪問する取引先へのあいさつに使われるフレーズです。

✉ 9月1日より、矢木太郎が代わってご用命を承りますので、どうぞよろしくお願いいたします。

# 後任の○○もよろしくお願いします

## 1 私同様、よろしくお願い申し上げます。

後任者を紹介するときの結びのフレーズです。「私同様」という言葉をつけることで、自分が在職中お世話になったことへの感謝の気持ちも伝わる表現です。

✉ 後任として、矢木太郎が担当いたしますので、私同様よろしくお願いいたします。

## 2 私同様、ご指導、ご鞭撻のほどお願い申し上げます。

「鞭撻」とは、励まし指導することを意味します。「後任者を、自分と同様にご指導ください」との願いを込めたあいさつ文です。

✉ 今後は後任として、矢木太郎が代わって御社のご用命を承りますので、私同様、ご指導、ご鞭撻のほどお願い申し上げます。

**覚えておきたい!**

**●「ご指導、ご鞭撻のほど」の"ほど"ってなに?**

「ご指導ご鞭撻のほど」「お引き立てのほど」「ご自愛のほど」など、"ほど"を使う敬語表現は数多くあります。この"ほど"には、直接的な表現を曖昧にし、やわらげる働きがあります。

たとえば、"ほど"の代わりに"を"を使って「ご指導ご鞭撻をお願い申し上げます」と書くと、相手に「指導をくれ」と強要するような響きになってしまいます。"ほど"と同じような働きをする言葉に、"くらい""など""でも""ばかり"などがあります。

## 異動されたんですね（異動報告への返信）

**➡昇進・昇格おめでとうございます。**

- 出世コースをばく進中ですね。
- このたびのご昇進、まことにおめでとうございます。
- ○○支社にご栄転されたとのこと、心からお祝い申し上げます。
- 日頃のご活躍が正当に評価されてのご昇進と拝察します。
- 日頃のご努力の賜物ですね。

**➡異動してもがんばってください。**

- 才腕を発揮されるには格好の舞台ですね。
- ○○支社は御社の重要拠点、幹部から大きな期待が寄せられている表れですね。
- ご苦労も多くなるとは思いますが、蓄積された実力を十分に発揮できる場と存じます。
- これからますます忙しくなりますね。
- ますますご奮闘のうえ、真価をご発揮ください。
- いっそうのご活躍をお祈りいたします。

## メールで使える謙譲表現③ 名詞型

160ページ、168ページに続き、謙譲表現3つの型のうち、③名詞型について解説します。

③名詞型では、へりくだる意味をもつ漢字を加えて、自分のものや動作を低め、相手を高める言葉を作ります。

| 謙譲の意味をもつ漢字 | 自分のものや動作を低める言葉の例 |
| --- | --- |
| 拝 | 拝見、拝読、拝聴、拝受、拝借、拝謁、拝察など |
| 愚 | 愚作、愚行、愚考、愚案、愚見など |
| 拙 | 拙宅、拙著、拙稿、拙作など |
| 小 | 小社、小生、小誌、小店など |
| 粗 | 粗茶、粗品など |
| 弊 | 弊社など |
| 薄 | 薄謝など |
| 寸 | 寸志、寸書など |

これまで、①言い換え型、②つけたし型、③名詞型と、謙譲表現の3つの型をご紹介してきました。

尊敬表現と謙譲表現、さらには①〜③までの型を、相手や状況を見極めて使い分けられるようになりましょう。

➡謙譲表現①言い換え型は160ページへ
➡謙譲表現②つけたし型は168ページへ

16

# 転職・退職に関するフレーズ

転職・退職すると、新しい環境で
新しい人間関係がスタートします。
しかし、せっかくこれまで培ってきた会社の人間関係を
終わらせてしまうのは、とてももったいないことです。
在職中にお世話になった人へはあいさつメールを送り、
新たなきっかけ作りをしましょう。

# 転職・退職することになりました

## 1 ○○会社を円満退社し、△△会社に入社いたしました。

退社の報告とともに、転職先も報告するときのフレーズです。転職後も相手と関係を続けたい場合に使います。「私、このたび○○を退社いたしまして、×月×日より△△に勤務しております」なども使えます。

✉ このたび、○○商社を円満退社し、△△商事に入社いたしました。

## 2 ×月×日付で、退社することになりました。

円満退社であることを強調したい場合は、「長い間お世話になりました○○社を退社することになりました」とするとよいでしょう。

✉ このたび、○○会社を3月31日付で退社することになりました。

## 3 一身上の都合により、○○社を退社いたしました。

円満退社でない場合や、あまり親しくない相手には込み入った事情を伝える必要はありません。「一身上の都合により」を使えば、相手も深く追究してこないでしょう。「諸般の事情により」というフレーズもよく使われます。

✉ このたび一身上の都合により、○○社を退社いたしました。

## 在職中はお世話になりました

### 1 在職中は心温まるご指導を賜りまして

在職中にお世話になった相手に、お礼を述べるフレーズです。「指導」とすることで、さまざまなアドバイスをもらい、感謝していることを強調しています。

✉ 黒木様には在職中は心温まるご指導を賜りまして、深謝しております。

### 2 在職中はひとかたならぬお世話をいただきまして

「ひとかたならぬ」は「ふつうではない」という意味になります。この表現は、「格別な」「多大な」などと置き換えることも可能です。

✉ 在職中はひとかたならぬお世話をいただきまして、感謝の念に堪えません。

### 3 在職中は公私にわたり格別のご厚情を賜り、厚くお礼申し上げます。

「公私にわたり」とすることで、仕事のみならずプライベートでも大変お世話になったことを強調しています。「厚情」は、「懇情」「厚志」「交誼」「厚誼」などと置き換えてもよいでしょう。

✉ 在職中には、公私にわたりまして格別のご厚情を賜り、まことにありがとうございました。

# 辞めたあとは〜します

## 1 ○○として独立し、○○会社を設立いたしました。

独立したときは、新しい会社の名前を覚えてもらうことが大切です。会社の正式名称はもちろん、簡単な業務内容やセールスポイントなども書き添えるとよいでしょう。

✉ **このたび念願かないまして、かねてより準備を進めてまいりました新会社「○○」を設立、×月×日に開業いたしました。**

## 2 今後の予定は未定ですが、〜したいと考えております。

退社後のことがはっきりわかっていない場合に使うフレーズです。なにをしようと思っているかなど、書き添えるとよいでしょう。

✉ **今後の予定は未定ですが、十分休養をとったあと、また広告関係の職に就きたいと考えております。**

覚えておきたい!

### ●長期休暇に入る前のあいさつ

療養や、産前・産後休暇、育児休暇など、長期にわたって会社を休む場合にも、あいさつメールを送ります。休職中の担当者の名前も伝えて、相手に不安を与えないようにしましょう。

✉ **私事で大変恐縮ですが、×月から出産のため、休職することになりました。**

✉ **病気療養のため、しばらくの間休職いたしますが、×月には復帰いたします。**

## 「辞めたあとは〜します」フレーズ

### ➡家業を継ぎます。

- 当分は父のあとを継ぐべく修業をし、仕事が軌道にのりましたら、改めてご報告申し上げるつもりでございます。
- 近々生まれ故郷の三重に戻りまして、家族で経営しております○○会社を手伝う予定です。

### ➡専業主婦になります。

- 結婚のため、○○商事を退くことになりました。
- さて、このたび私は×月の結婚を控え、準備のため株式会社○○を、×月末日をもって退社することになりました。

### ➡地元に帰ります。

- 私このたび郷里の熊本に帰り、○○商事に入社し、人生の再スタートを切ることにいたしました。

# 転職・退職後もがんばります

## 1 新しい職場で心機一転、業務に打ち込む所存です。

転職して職業や職種、環境が大きく変わるときなどに、気持ちを新たにしてがんばることを宣言するフレーズです。「心機一転」という表現によって、「前職は円満退社ではなかったのか」と受けとられる可能性もあるので、相手や状況を見極めて使いましょう。

✉ 今後は、新しい職場で心機一転、よりいっそう業務に精励いたしたく存じます。

## 2 これまでの経験を活かして、精進いたします。

「精進いたします（48ページ参照）」の代わりに、「努めてまいります」「いっそうの努力をする覚悟です」「～に専心いたす所存です」などのフレーズも使えます。

✉ これまでの経験を活かして、いっそうの精進を重ねてまいる所存でございます。

### 覚えておきたい!

**●新しい環境でもがんばります！**

今後もお付き合いしたい相手には、新たな会社のアピールも忘れないようにしましょう。ただ、あまり積極的にアピールすると、単なる売り込みだと思われてしまう可能性もあるので気をつけましょう。

✉ これまでに培ったノウハウを活かし、粉骨砕身して邁進したいと思っております。

✉ ご期待に沿いますよう、全力をあげて社業に専心する所存でございます。

## 転職・退職されるんですね（転退職報告への返信）

### ➡転職報告への返信

- めざましいご活躍ぶりを○○商社から見込まれて、円満にご転職なさるとか、やはり周囲から信頼の厚かった黒木さんならではのことと敬服いたしました。
- 黒木さんのおかげで、いつも気持ちよく仕事ができました。こちらこそ、心よりお礼申し上げます。
- 黒木さんには、いつも助けられ、急ぎのお願いなどもすぐに対応していただき、本当に感謝しております。

### ➡転職後の独立報告への返信

- 独立、おめでとうございます。念願がかないましたね。
- これまでのご苦労が実ったようで、なによりです。
- 実力のある方は、やはりちがいますね。

### ➡寿退職報告への返信

- 新婚旅行などは行かれますか。
- 新居は決まりましたか。
- そのうちにのろけ話でもお聞かせください。

## 二重敬語をダイエット

ひとつのフレーズ内で、敬語を２つ重ねることを「二重敬語」と言います。二重敬語は基本的には避けるべき表現です。

✕A.「お電話でおっしゃられましたように」
✕B.「お休みになられましたか」

A.は、「おっしゃる」＋「られる」、B. は「お〜になる」＋「れる」の二重敬語になっています。

正しくは以下のようになります。

○A.「お電話でおっしゃったように」
○B.「お休みになれましたか」

しかし、「二重敬語は誤り」というルールには例外もあります。

たとえば、「お召し上がりになる」は「食べる」の尊敬表現「召し上がる」に、「お〜になる」という尊敬表現をつけた二重敬語になっています。これをまちがいだと主張する人もいますが、慣習として使われることがしばしばあります。

二重敬語はその多くがまちがいなのですが、このような例外もありますので、柔軟に使いこなしましょう。

# 17

# 結びのフレーズ

結びのフレーズがきちんと決まると、
メール全体が引き締まり、体裁がとれます。
文章量や用件の重要度によって
長めのフレーズで結んだり、短めにまとめたりするなど
バリエーションを身につけましょう。

# ではよろしく

## 1 よろしくお願いします。

ビジネスメールの文末に頻繁に使われる表現。「よろしく」は相手の行為を期待するときに使う、あいさつの言葉です。「いたします」を使うと、さらに丁寧な表現になります。

✉ どうぞよろしくお願いいたします。

## 2 なにとぞよろしくお願い申し上げます。

「よろしくお願いします」に、変化をつけたいときに使える表現です。「なにとぞ」「どうぞ」などを加え、語尾を「申し上げます」とすると、より丁寧な表現になります。また、頭に「～のほど」を加えれば、なにをお願いするかを明確にできます。

✉ ご協力のほど、なにとぞよろしくお願い申し上げます。

**覚えておきたい!**

### ●「なにとぞ」を使う場面

相手にお願いする気持ちを強く表現したり、より丁寧に表現する言葉として、「なにとぞ」や「どうぞ」などがあります。「どうぞ」が広く一般的な依頼表現に使われるのに対して、「なにとぞ」は相手に強く願う言葉として、改まった文章のなかで使われます。

したがって、「なにとぞ」は“これぞ”というときに効果的に使うようにしましょう。

そのほか、困難なことはわかっているが、なんとか頼みたいという場面では「どうか」、強く希望する場面では「ぜひ」、念を押しておきたい場面では「くれぐれも」などを使い分けましょう。

## ワンランク上の「よろしく」フレーズ

**➡また会いましょう。**

- では、お会いできるのを楽しみにしております。
- ぜひまた、楽しいお話を聞かせてください。
- またお時間があるときに、ゆっくり飲みましょう。

**➡これから一緒にがんばりましょう。**

- お力添えのほど、よろしくお願いいたします。
- よろしくお付き合いください。
- 一緒にお仕事できるこの機会を大切にしたいと思います。

**➡これからお世話になります。**

- ご指導ご鞭撻のほど、よろしくお願い申し上げます。
- ご高配のほど、よろしくお願い申し上げます。

# 返信を待っています

→P124もチェック

## 1 ご検討ください。

返事が必要な場合に末文につけます。目上の人に対して、「ご回答お願いいたします」「お返事お待ちしております」のように、回答・返事の催促をするのはよくありません。せかしている印象があるからです。

✉ お手数ですが、ご検討くださいませ。

## 2 ご回答をいただければ助かります。

「ご回答お願いいたします」よりも相手にへりくだって、返事をもらえたら助かるとお願いする言い回しです。一方、返信の必要がないときは、「この件については返信不要です」と明示すると、特に多忙な相手は助かるでしょう。

✉ 恐縮ですが、ご回答をいただければ大変助かります。

## 3 ご教示願えれば幸いです。

「教示」を使うと、相手に教えを請うような印象になり、返信をせかしているニュアンスがなくなります。「ご教授ください」は、学問や芸術を教えてください、という意味になりますので、ビジネスシーンでは「教示」を使うと覚えましょう。

✉ 恐れ入りますが、ご教示いただければ幸いです。

## まずはこれだけ

### 1 まずは○○まで。

○○には、「ご連絡」「ご案内」「ご報告」「ごあいさつ」「お知らせ」「お礼」などが入ります。「用件はこれだけです」と、メール内容を簡潔に表す結びの表現です。

✉ まずはお礼まで。

### 2 まずは○○申し上げます。

「まずは○○まで」よりも、さらに丁寧な表現となります。ほかにも「まずは○○のみにて失礼いたします」「まずは○○かたがたご報告（連絡）申し上げます」などのフレーズが使えます。

✉ まずは謹んでご案内申し上げます。

覚えておきたい!

**●「取り急ぎ」という言葉は失礼？**

メールの文末では、「取り急ぎ○○まで」という言葉がよく使われます。とにかく早く連絡したほうがよい場面などでは、結びに「取り急ぎ」を使ってもおかしくありません。

しかし、「取り急ぎ」という言葉には、「とりあえず急いで書いた」というイメージがあります。丁寧にお礼を言わなければならないメールや、長い本文を書いておきながら最後だけ「取り急ぎ」を使うメールは違和感があります。

そんなときは、次ページで紹介する結びフレーズを使うか、「まずは取り急ぎ用件のみにて失礼いたします」といった丁寧な文章にするようにしましょう。

## ワンランク上の「結び」のフレーズ

**➡今後もどうぞよろしくお願いします。**

- これからもなにとぞご指導ご鞭撻を賜りたく、お願い申し上げます。
- 今後ともいっそうのお引き立てを賜りますよう、心からお願いいたします。
- 今後も変わらぬお力添え（ご支援、ご協力）のほど、切にお願い申し上げます。
- これからもよろしくご高配（ご厚情、ご懇情）のほど、伏してお願い申し上げます。

**➡最後になりましたが、お元気でお過ごしください。**

- 末筆ながら、黒木様のいっそうのご活躍（ご発展、ご躍進、ご繁栄、ご隆盛）を心からお祈り申し上げます。
- 末筆ながら、皆様のますますのご健康（ご多幸、ご多祥）を祈念いたします。

# 18

# 文例

よく使うビジネスメールの文例集です。
お礼、お詫び、お願い、催促、了解、お断り、
ご案内、お見舞い、異動報告、転職・退職報告、
休職報告、年末年始の12テーマを用意しました。
適切なメールをすばやく作成するための
雛形として活用してください。

# メールの文例 1 お礼メール

件名：資料送付のお礼

お世話になっております。

先日は、○○について
ご教示をお願いいたしましたところ、さっそくご回答を賜り、
あわせて貴重な資料をお送りくださいまして、
まことにありがとうございました。
心よりお礼申し上げます。

おかげさまをもちまして、
弊社の新規事業計画を進めることができました。

まずはお礼かたがたご報告申し上げます。

## メールの文例 2 お詫びメール

件名：納期遅延のお詫び

いつも大変お世話になっております。
株式会社○○の○○でございます。

このたび、ご注文いただきました○○商品につきまして、
納期が遅れましたことを心よりお詫び申し上げます。
さっそく調査いたしましたところ、弊社内部の事務手続きの
不手際によるものであることが判明いたしました。

大変ご迷惑をおかけし、まことに申し訳ございません。
重ねてお詫び申し上げます。
二度とこのようなことのないよう、
チェック機能の見直しを行っております。
今後とも変わらぬお引き立てのほど、
よろしくお願い申し上げます。

近日中にお詫びにあがりたいと存じます。
メールにて恐縮ですが、取り急ぎお詫び申し上げます。

# メールの文例 3 お願いメール

件名：○○講習会　講師のお願い

---

はじめてご連絡いたします。株式会社○○の○○と申します。
先日△△先生のセミナーに参加し、深く感銘を受けました。
本日は、ぜひ弊社での講演を**お願いしたく、**
**ご連絡申し上げた次第でございます。**

このたび弊社では、新入社員に向けて
○○についての講習会を開催したいと考えております。
つきましては、○○の分野でご活躍の先生に、
ご講話を賜りたいと存じます。
詳細については、下記の通りです。

ご多忙のところ大変恐縮ですが、
**ご都合のほどをお知らせいただけると幸いです。**
なにとぞよろしくお願い申し上げます。

記

日時：×月×日
場所：○○会館
（そのほか、テーマ、参加人数、謝礼などを書く）

## メールの文例 4 催促メール

件名：○○商品の未着についてのご確認

---

いつも大変お世話になっております。
株式会社○○の○○でございます。

△月△日№00000「発注書」で注文しました××ですが、
納期を一週間経過した本日まで、到着しておりません。
クライアントからも矢のような催促を受けており、
弊社としましては**大変困惑いたしております。**

つきましては、**迅速にお手配くださるよう、**
**お願い申し上げます。**
なお、本メールと行き違いで到着のさいは、
ご容赦くださいますようお願い申し上げます。

メールにて恐縮ですが、取り急ぎお願いまで。

# メールの文例 5 了解メール

件名：△△商品の値引きについて

いつも大変お世話になっております。
株式会社○○の○○でございます。

このたびは弊社の△△商品をご注文いただき、
ありがとうございました。

お申し越しの値引きの件につきまして、
社内で検討いたしました。
正直申しまして、これ以上の値引きは
大きな負担となるものですが、
ほかならぬ○○様からのお申し出ですので、
**お受けすることにいたします。**

今後ともどうぞよろしくお願いいたします。

## メールの文例 6　お断りメール

件名：△△商品の値引きについて

---

いつも大変お世話になっております。
株式会社○○の○○でございます。

このたびは弊社の△△商品をご注文いただき、
ありがとうございました。

お申し越しの値引きの件につきまして、
関係者ともども前向きに検討いたしました。
しかしながら、現状では**ご要望に沿いかねます。**

昨今の原料高騰にともない、
現行価格を維持するのが精一杯というところです。
まことに恐縮ではございますが、
**なにとぞ事情をご賢察のうえ、**
**ご了承賜りますようお願い申し上げます。**

## メールの文例 7 ｜ ご案内メール

件名：○年忘年会のご案内

おつかれさまです。
忘年会のお知らせです。

いよいよ本年も残りわずかとなりました。
そこで、下記の通り忘年会を企画したいと思います。
ひととき温まって、来年に向けての英気を養いましょう。
お忙しいところと存じますが、
ぜひご出席くださるようご案内申し上げます。

なお、準備の都合上、×月×日までに
出欠のご連絡をいただけますでしょうか。
よろしくお願いいたします。

日時：×月×日
場所：○○屋（○○駅から徒歩１分）
会費：一般4000円、幹部5000円
幹事連絡先：営業部　矢木太郎（000-000-0000）

## メールの文例 8 お見舞いメール

件名：お見舞い

---

いつもお世話になっております。
株式会社○○の○○でございます。

○○社の○○様から、
△△様が入院されたとの知らせを聞き、
大変驚いております。

その後、ご経過はいかがでしょうか。
心よりお見舞い申し上げます。

このさいですから、今までお休みになれなかった分、
十分なご静養をなさるよう願っております。
一日も早く元気なお顔を拝見できますよう、
心よりお祈りいたします。

# メールの文例 9 異動報告メール

件名：転勤のごあいさつ

---

お世話になっております。
**×月×日をもちまして、**
**東京本部より名古屋支社に転勤することになりました。**
東京本部在任中は、
ひとかたならぬお引き立てを賜り、
心よりお礼申し上げます。

本来なら参上してごあいさつ申し上げるべきところ、
急な辞令で、直接うかがうこともままならず、
申し訳ございません。
**今後は新任地におきまして、**
**社業の発展に努める所存です。**

**後任として○○が今後は御社に**
**おうかがいすることになりますので、**
**よろしくお引き回しのほどお願い申し上げます。**

## メールの文例 10 転職・退職報告メール

件名：退社のごあいさつ

---

いつもお世話になっております。
このたび、株式会社○○を×月×日付で
退社することになりました。
在職中には、公私にわたり格別のご厚情を賜り、
まことにありがとうございました。

今後は、△△株式会社において
全力を尽くしていきたいと存じます。
新しい連絡先など決まり次第、
改めてご報告いたします。

今後とも変わらぬご指導、ご鞭撻のほど、
よろしくお願い申し上げます。

## メールの文例 11 ｜ 休職報告のメール

件名：休職のごあいさつ

---

いつも大変お世話になっております。
私事で大変恐縮ですが、
×月×日より○○のため休職することになりました。

なお、休職期間中の対応に関しましては、
△△が担当いたします。
御社にご迷惑をおかけしないよう、
万全の引き継ぎを行いました。
しばらくの間職場を離れますが、
来年×月には現在の部署に復帰する予定です。

本来なら直接ごあいさつを申し上げるべきところ、
メールでのご連絡となり大変恐縮でございます。
今後とも変わらぬお力添えのほど、
よろしくお願いいたします。

## メールの文例 12　年末年始のあいさつメール

件名：年末のごあいさつ

---

いつもお世話になっております。
株式会社○○の○○でございます。

本年も残りわずかとなりました。
○○様には大変お世話になりました。
いつもなにかとお気遣いいただき、
ありがとうございます。
弊社は12月×日で仕事納めです。
新年は1月×日から営業を開始いたします。

日に日に寒さも本格的となってきました。
くれぐれもご自愛ください。

# 索引



## あ



## か

## さ



## た

## な



## は



## ま



## や



## ら



## わ

村上英記（むらかみ　ひでき）

敬語アドバイザー。東京大学大学院教育学研究科修士課程を修了（専門は日本語教育）。外国人への日本語教育に長く携わる。これまでの蓄積を生かして、2004年にまぐまぐ！メールマガジン「ビジネスマンのわかりやすい！基礎敬語講座」を開始し、多くのビジネスパーソンから絶大な支持を得ている。購読者は5000人以上にのぼり、まぐまぐ！殿堂入りを果たした。著述業、全国各地への講演など幅広く活躍中。

E-mail：keigo.lesson@gmail.com

「きちんとした敬語と表現」がすぐに見つかる

**ビジネスメール言い換え辞典**

2012年8月1日　初版発行
2022年6月10日　第11刷発行

著　者　村上英記 ©H.Murakami 2012
発行者　杉本淳一

発行所　株式会社日本実業出版社　東京都新宿区市谷本村町3-29　〒162-0845

編集部　☎03-3268-5651
営業部　☎03-3268-5161　振　替　00170-1-25349
https://www.njg.co.jp/

印刷／厚徳社　　製本／共栄社

この本の内容についてのお問合せは、書面かFAX（03－3268－0832）にてお願い致します。
落丁・乱丁本は、送料小社負担にて、お取り替え致します。

ISBN 978-4-534-04978-0　Printed in JAPAN

# 日本実業出版社の本

## 仕事に役立つ基礎力をつけよう

好評既刊

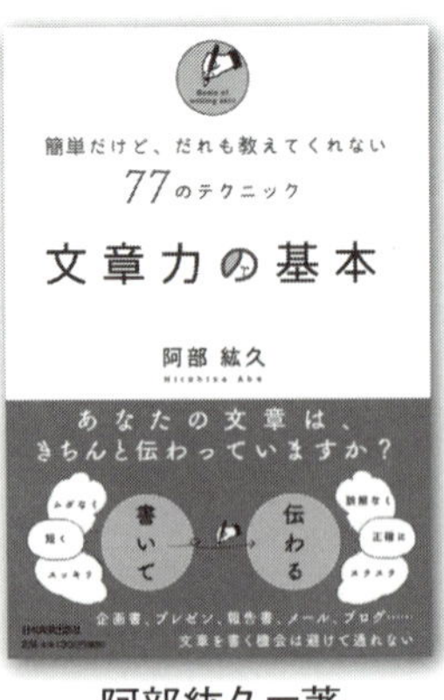


阿部紘久＝著
定価 本体1300円（税別）

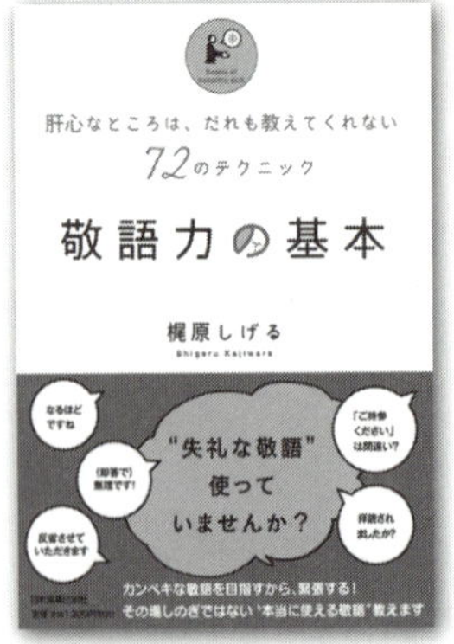


梶原しげる＝著
定価 本体1300円（税別）

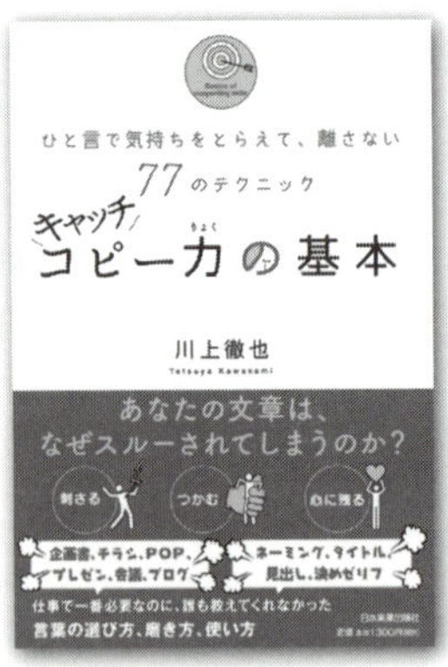


川上徹也＝著
定価 本体1300円（税別）

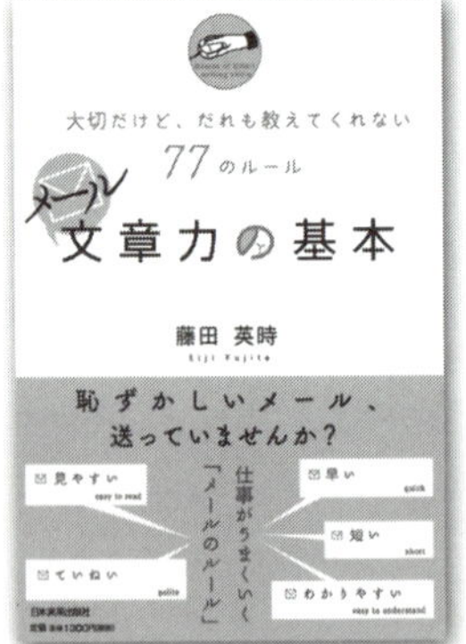


藤田英時＝著
定価 本体1300円（税別）

定価変更の場合はご了承ください。